Enid Blyton

LE CLUB DES CINQ

en randonnée

hachette
JEUNESSE

FRANÇOIS

12 ans.

L'aîné des enfants, le plus raisonnable aussi. Grâce à son redoutable sens de l'orientation, il peut explorer n'importe quel souterrain sans jamais se perdre !

ANNIE

10 ans.

La plus jeune, un peu gaffeuse, un peu froussarde ! Mais elle finit toujours par participer aux enquêtes, même quand il faut affronter de dangereux malfaiteurs...

CLAUDE

11 ans.
Leur cousine. Avec son fidèle chien Dagobert, elle est de toutes les aventures. En vrai garçon manqué, elle est imbattable dans tous les sports et elle ne pleure jamais... ou presque !

DAGOBERT

Sans lui, le Club des Cinq ne serait rien ! C'est un compagnon hors pair, qui peut monter la garde et effrayer les bandits. Mais surtout, c'est le plus attachant des chiens.

MICK

11 ans.
C'est un casse-cou (un gourmand aussi !) qui n'hésite jamais avant de se lancer dans les plus périlleuses aventures.

L'édition originale de cet ouvrage a paru en langue anglaise
chez Hodder & Stoughton, Londres, sous le titre :
Five on a hike together

Traduction revue par Rosalind Elland-Goldsmith.
Illustrations : Auren.

Hachette Livre, 58, rue Jean-Bleuzen, 92178 Vanves Cedex.

CHAPITRE 1

Une lettre

— Annie ! appelle Claude, rejoignant sa cousine au moment où celle-ci s'apprête à entrer dans la salle de classe. Il y a une lettre pour toi. Je crois qu'elle est de tes frères : d'après le tampon de la Poste, elle a été envoyée de leur internat.

Annie s'arrête.

— Merci, répond-elle. Mais c'est bizarre : ils m'ont écrit il y a seulement deux jours ! Je me demande ce qu'ils peuvent bien me vouloir...

Annie déchire l'enveloppe. Elle en sort une feuille de papier griffonnée d'une écriture minuscule et, hâtivement, la parcourt du regard. Progressivement, ses yeux s'éclairent d'une lueur joyeuse. Tout à coup, elle se tourne vers sa cousine.

— Claude ! s'écrie-t-elle. C'est génial ! François et Mick ont quatre jours de vacances, de jeudi à lundi ! Ils veulent faire une grande excursion et nous demandent si on peut les accompagner.

— Ça tombe bien ! On sera en congé en même temps qu'eux ! s'exclame la collégienne. Donne-moi la lettre, je voudrais la lire aussi !

Mais au moment de saisir la feuille de papier, un professeur passe dans le couloir.

— Claudine ! Tu devrais être en classe ! Et toi aussi, Annie ! Allez, dépêchez-vous !

Le visage de Claude se renfrogne : elle ne supporte pas qu'on l'appelle par son vrai prénom. Claudine, c'est un nom de fille et elle aurait tellement voulu être un garçon ! Elle tourne les talons sans répondre et monte à contrecœur l'escalier conduisant à sa salle de classe.

Annie, pour sa part, garde le sourire et enfouit soigneusement la lettre dans la poche de son gilet. Puis elle ouvre la porte derrière laquelle son professeur d'histoire s'apprête à commencer son cours. Quatre jours de liberté avec François, Mick, Claude et Dag, le chien ! Le Club des Cinq au complet... Que peut-elle rêver de mieux ?

À l'heure du déjeuner, les deux cousines se retrouvent et reprennent aussitôt leur conversation.

— Tu te rends compte ? s'exclame Claude, surexcitée. On va rejoindre les garçons dès jeudi !

— Oui, mais ce qui m'ennuie, c'est qu'il était prévu qu'on rentre à la maison pour ce long week-end. Tu devais même venir avec nous, parce qu'il y a des travaux chez tes parents. Je ne sais pas ce que Maman et Papa vont penser de l'idée des garçons..., répond Annie, l'air dubitatif.

— À mon avis, François a dû en discuter avec eux avant de nous écrire ! affirme Claude.

— De toute façon, mes frères disent dans leur lettre qu'ils nous téléphoneront ce soir pour mettre au point les derniers détails. On saura s'ils ont déjà demandé la permission de partir faire cette excursion, conclut sa cousine.

— Oh ! j'ai tellement hâte ! s'écrie Claude, enthousiaste. Espérons qu'on aura beau temps ! Ce n'est pas garanti, début novembre... Et Dago ! Qu'est-ce qu'il va être content ! Viens avec moi, je vais le prévenir tout de suite !

À Clairbois, le collège où les deux filles sont internes, il y a un chenil dans lequel les élèves peuvent amener leurs animaux domestiques.

Dagobert, l'inséparable compagnon de Claude, passe donc, lui aussi, toute l'année scolaire en pension. Dès que les filles ouvrent la porte du local, le chien se jette sur elles en aboyant joyeusement.

— Grosse bête ! murmure Claude en le caressant affectueusement. Tiens-toi tranquille et écoute-moi : on part en randonnée, ce week-end ! Avec François et Mick ! C'est pas une bonne nouvelle ?

Les oreilles dressées, la tête inclinée de côté, l'animal semble comprendre chacune des paroles de sa jeune maîtresse. Il balance doucement la queue et finit par lâcher un « ouah ! » approbateur.

Le soir venu, François téléphone à sa sœur. Il a déjà tout prévu.

— J'ai parlé du projet aux parents la semaine dernière. Ils trouvent que c'est une bonne idée. Et puis ce n'est pas la première fois qu'on part tout seuls en excursion. Maman s'est même assurée auprès du père et de la mère de Claude qu'ils étaient d'accord pour ce changement de programme.

— Super ! répond Annie, l'oreille collée à l'écouteur. Alors, comment on s'organise ?

Elle écoute son frère développer son plan.

— Pas de problème, conclut-elle. Tu peux

compter sur nous. On sera au rendez-vous, avec Dago.

— Alors ? Qu'est-ce qu'il a dit ? demande Claude d'un ton impatient quand sa cousine a raccroché.

Annie répète tout ce que son frère vient de lui expliquer.

— Les garçons nous retrouveront au bourg de Landisiou. Apparemment, c'est au milieu d'une très belle région de landes. Il paraît qu'on y verra beaucoup d'animaux sauvages. Et on dormira dans des petites auberges et des fermes que François a repérées sur une carte.

— Je sens qu'on va bien s'amuser ! s'enthousiasme Claude. Je vais tout de suite commencer à faire mon sac ! Mais pour faire une randonnée, il ne faut pas être trop chargé. Les seules choses qui soient vraiment indispensables, c'est des chaussettes de laine et de grosses chaussures.

Les préparatifs absorbent tout le temps libre des deux cousines. Les sacs à dos sont remplis, vidés et refaits plus de vingt fois !

Le jour du départ, les filles se réveillent très tôt. Avant le petit déjeuner, Claude se rend au chenil et brosse longuement le pelage de son chien : elle veut qu'il se montre sous son plus beau jour devant François et Mick. Dagobert comprend que le moment de quitter la pension est enfin arrivé. Il est presque plus excité que sa maîtresse.

— Descends vite prendre le petit déjeuner ! lance celle-ci en rejoignant sa cousine. Ce serait bête de partir à jeun... Oh ! J'adore ce sentiment de partir à l'aventure ! Qui sait où on dormira ce soir ? Et à quelle heure on dînera ?

Elle dévale l'escalier, sans cesser de parler :

— C'est tellement bon de penser que, pendant quatre jours, il n'y aura plus d'emploi du temps ! Et plus de devoirs ! Mais je ne me sentirai vraiment libre qu'une fois qu'on sera sorties de la pension...

Les deux filles touchent à peine aux tartines disposées sur la table du réfectoire. La joie du départ leur coupe l'appétit. À peine la dernière bouchée avalée, elles enfilent leur veste et chargent leur sac à dos. Après avoir dit au revoir à leurs amies et salué la directrice de l'établissement, elles s'en vont chercher Dagobert.

Il les attend avec impatience et aboie à perdre haleine quand elles s'approchent. En un clin d'œil, il est hors du chenil, bondissant comme un fou !

CHAPITRE 2

Le départ

De leur côté, François et Mick se sont mis en route à peu près à la même heure. Ils sont aussi excités que les filles et leur chien. François a scrupuleusement étudié la carte de la région. C'est une vaste étendue déserte, couverte de landes et de forêts ; quelques fermes et villages isolés s'y éparpillent.

— Je pense qu'il vaudra mieux rester à l'écart des grandes routes, estime-t-il. On profitera beaucoup plus de la nature en arpentant les petits chemins ou les sentiers. Tiens ! Je me demande comment Dago réagira si on rencontre des biches. Il n'en a peut-être jamais vu de sa vie.

— À mon avis, il ne s'intéressera qu'aux lapins ! Tu sais qu'il adore les prendre en chasse. Mais j'espère qu'il aura maigri depuis la rentrée... On lui a fait avaler trop de glaces et trop de chocolat pendant les dernières vacances. Il était devenu gras comme un cochon !

— Ce ne sera pas le cas pendant ce week-end ! assure François. Les filles ont encore moins d'argent de poche que nous ! On ne pourra pas se payer la moindre friandise ! Viens vite, voilà le car !

Ils gagnent en courant la station où vient de s'arrêter un grand bus rouge. C'est celui qui doit les conduire loin de la ville, en direction des fameuses landes désertes. Le véhicule attend pour démarrer que les deux garçons soient montés.

— Ah ! ah ! fait le conducteur. Vous désertez l'école ! Il va falloir que je signale ça à la police !

— Très drôle ! rétorque François, qui a déjà entendu cent fois cette plaisanterie de la part du chauffeur.

Quelques heures plus tard, le car arrive à destination. François et Mick sont heureux de mettre le pied sur cette terre inconnue, point de départ de leur excursion. Sur la place centrale de

Landisiou, des canards cancanent en barbotant dans un bassin. Mick jette un coup d'œil circulaire sur les lieux.

— Je ne vois pas les filles, dit-il. Leur train n'a pas encore dû entrer en gare.

Les garçons pénètrent dans un petit café pour se désaltérer en les attendant. Ils ont à peine fini leur jus d'orange, qu'ils voient deux silhouettes gesticuler derrière les vitres. La porte s'ouvre, laissant le passage à Dago suivi des deux filles.

— François ! Mick ! s'écrie la voix joyeuse d'Annie. Vous voilà ! On était sûres de vous trouver en train de manger ou de boire !

— Toujours aussi comique, ma petite sœur, répond François en la serrant dans ses bras.

— Salut, Claude ! dit Mick en s'avançant vers sa cousine. Mais dis-moi... on dirait que tu as grossi !

— Pas du tout ! riposte la jeune fille, indignée. Et Dago n'est pas plus gras que moi ! Épargne-nous tes plaisanteries !

— Mick te taquine, comme toujours ! s'amuse François en donnant une tape amicale à Claude. Et toi, comme d'habitude, tu mords à l'hameçon ! Tiens, salut, Dag ! Bon chien ! La truffe bien humide ! Vous voulez boire quelque chose, les filles ?

— Oui, je meurs de soif ! répond Annie. Assez, Dago ! À te voir on croirait que tu n'as pas vu François et Mick depuis dix ans !

Soudain, Claude se redresse.

— Dites donc, qu'est-ce que c'est que ça ? Regardez !

Elle montre du doigt, derrière le comptoir, une pile d'appétissants sandwichs.

— Ce sont les casse-croûte que j'ai préparés pour mon fils, répond la patronne du café, tout en débouchant une bouteille de limonade. Il va bientôt venir les chercher.

— Est-ce que vous pourriez nous en préparer, à nous aussi ? demande François.

— Bien sûr. À quoi les voulez-vous ? Fromage ? Œufs ? Jambon ?

— Eh bien... on prendra de tout.

— Parfait ! Combien souhaitez-vous que j'en prépare ?

— Quatre chacun !

La femme dévisage le petit groupe d'un air tellement ahuri que Claude croit bon d'expliquer qu'il leur faut des provisions pour toute la journée.

— Je vois..., fait-elle en se retirant, mais son regard se pose longuement sur Annie, la plus jeune et la plus fluette, comme si elle cherchait à comprendre comment le corps d'une si petite fille pourrait contenir, sans éclater, quatre énormes sandwichs.

Quand la responsable du café revient, ses bras sont chargés de quatre paquets bien ficelés et, sur chacun d'eux, un mot écrit au crayon indique ce qu'il contient.

— Merci. Je suis sûr qu'ils sont délicieux, dit Mick en rangeant soigneusement les sandwichs dans son sac à dos. Vous en préparez tous les jours pour votre fils ?

— Oui. Les repas ne sont pas bien copieux, en prison..., répond la femme.

L'air surpris des enfants attire son attention et elle rectifie en souriant :

— Oh ! Ne vous méprenez pas ! Mon fils est gardien là-bas. Voilà tout.

— Je comprends, déclare François. J'ai vu qu'il y avait une prison importante dans la région... Combien vous doit-on pour les casse-croûte ?

Après avoir réglé, les enfants mettent leurs sacs sur leurs dos et s'apprêtent à partir. Mais la femme les retient un instant :

— Attendez ! dit-elle. J'ai autre chose pour vous.

Elle revient portant un cinquième paquet.

— Il n'y a rien d'écrit sur celui-là, remarque Claude. Qu'est-ce que c'est ?

— Une galette que je viens de faire. J'en ai coupé quatre parts, juste pour que vous y goûtiez.

— Mais le paquet est énorme ! On dirait que vous avez taillé ces parts pour des ogres !

— J'ai cru comprendre que vous aviez bon appétit, répond la propriétaire du café en souriant. Vous ne me ferez pas croire qu'un morceau de gâteau vous fait peur.

Après de multiples remerciements, les enfants quittent les lieux et prennent la grand-route qui, cent mètres plus loin, s'enfonce déjà dans la campagne déserte.

— Et maintenant, en avant ! s'écrie Mick. C'est ici que commence notre grande randonnée !

CHAPITRE 3

À travers la lande

Un soleil encore chaud pour la saison dore les arbres revêtus des couleurs éclatantes de l'automne. Quelques feuilles flottent dans le vent, mais aucune forte gelée n'a encore dégarni le paysage. Dagobert bondit en tête, les quatre enfants le suivent gaiement sur la route, le collège leur semble déjà bien loin.

— Quelle journée splendide ! constate Claude. Je commence à avoir trop chaud, avec mon pull.

— Enlève-le et mets-le sur tes épaules, conseille Annie.

Les enfants portent leur imperméable roulé au sommet de leurs sacs à dos. Les pulls sont attachés au-dessus et, en ce début de promenade, personne ne songe à se plaindre du poids de sa charge.

Ils parlent de la région qu'ils s'apprêtent à traverser : c'est une contrée vallonnée et sauvage, dont les localités portent des noms curieux : Val de Roc perdu, Bois des Ronciers, Colline aux Lapins...

— Colline aux Lapins ! Voilà un coin qui plaira à Dago ! s'écrie Claude, tandis que l'intéressé pointe les oreilles.

— C'est par là qu'on passera d'abord, précise François, les yeux rivés sur la carte. Et plus tard, on devrait rejoindre le Val des Lièvres.

— Ouah ! fait Dagobert joyeusement.

Le soleil tape fort, pour un mois de novembre. Les enfants quittent la route et prennent un sentier très étroit. Les haies qui le bordent deviennent bientôt tellement hautes qu'il leur est impossible de rien voir au-devant d'eux.

— J'ai l'impression de marcher dans un tunnel, constate Mick. Vous croyez qu'on croisera d'autres groupes de randonneurs ?

— Ça m'étonnerait ! répond François. Peut-être qu'il y a quelques touristes en été, mais certainement pas en cette saison ! Tiens, je crois qu'on devrait prendre à droite. D'après la carte, la Colline aux Lapins se trouve dans cette direction.

Ils escaladent un échalier, longent des champs et s'engagent dans un sentier très raide. Tout à coup Dago paraît devenir fou. Non seulement il sent les lapins, mais en plus, il en voit partout, gambadant autour de lui.

— Tu n'as pas souvent rencontré autant de lapins en plein jour, lui lance Claude en riant. Regarde ! Il y en a plein, des gros et des petits !

Quand ils ont atteint le sommet de la colline, ils s'assoient pour souffler. Mais Dagobert, lui, refuse d'en faire autant. La vue et l'odeur du gibier lui montent à la tête. Il s'échappe des mains de Claude et bondit en direction des lapins, qui détalent aussitôt.

— Dago ! hurle Claude.

Mais le chien ne répond pas. Il court dans tous les sens, aboyant de plus en plus fort, tandis que ses petites proies, l'une après l'autre, disparaissent dans leur terrier.

— Inutile de l'appeler, décrète Mick. Il n'en attrapera pas un seul ! Ils sont plus malins que lui. À tous les coups, ils trouvent cette course-poursuite très rigolote !

En effet, les lapins ont l'air de beaucoup s'amuser. À peine Dagobert en a-t-il fait dispa-

raître deux ou trois dans leur trou, que quatre ou cinq paires d'oreilles pointent hors des autres terriers. Les enfants rient à perdre haleine. Lorsqu'ils entreprennent de descendre l'autre versant de la colline, lui-même grouillant de lapins, le chien continue à les pourchasser avec une telle frénésie qu'il en est tout essoufflé.

— Stop, Dago ! lui crie Claude. Sois raisonnable !

Mais comment un chien peut-il être raisonnable parmi tant de gibier ! Les enfants doivent l'abandonner à ses courses folles, freinées par de brusques arrêts à toutes les entrées de terriers où disparaissent les petites proies. C'est alors qu'un jeune lapin, pas plus gros que le poing, va s'enfiler dans un très large terrier où Dago trouve, tout d'abord, moyen de le suivre. Puis, le passage se rétrécit, et Dago a beau s'agiter, foncer, gratter la terre, il lui est impossible d'avancer. Alors il cherche à reculer, mais il n'y parvient pas. Il est pris, comme dans un piège.

Les enfants, s'apercevant que le chien ne les suit plus, reviennent sur leurs pas en l'appelant. Par chance, ils repèrent très vite un terrier suspect, d'où s'échappent des jets de sable, des cailloux et de sourds grondements de colère.

— Il est là ! s'écrie Claude. Quel idiot ! Dag ! Ici, Dag !

Le pauvre Dago voudrait bien obéir à cet ordre, et rejoindre sa maîtresse ! Mais une grosse racine lui écrase le dos, et il est incapable de se dégager. Annie, la plus menue du groupe, parvient à se faufiler dans le trou et saisit le chien par les pattes postérieures. Elle tire, mais un cri de souffrance interrompt son effort.

— Oh ! Annie ! Arrête ! supplie Claude. Tu lui fais mal ! Arrête, lâche-le !

— Je ne peux pas ! répond sa cousine du fond de son trou. Si je le lâche, il va encore s'enfoncer. Extirpez-moi d'ici et Dago suivra, puisque je le tiens par les pattes.

Les deux frères de la fillette la tirent par les pieds pendant qu'elle-même s'accroche aux pattes du chien. Dès que ce dernier est libéré, il va se frotter aux jambes de Claude en grognant plaintivement.

— Il est blessé, murmure la jeune maîtresse, inquiète. J'en suis sûre. Je vois bien qu'il souffre...

Elle passe ses doigts dans l'épais pelage de Dagobert, le palpant doucement, examinant une à une ses pattes. Elle ne perçoit rien et pourtant le chien ne cesse de gémir.

— Tu devrais le laisser tranquille, lui conseille enfin Mick. Il n'y a aucune plaie visible. À mon avis, il a surtout eu très peur.

Mais Claude refuse cette explication. Pas de doute : Dago s'est bel et bien fait mal pendant qu'il était coincé dans le trou. Il faut consulter un vétérinaire.

— Ne sois pas ridicule, Claude, lui dit François. Les vétérinaires, ça ne pousse pas sur les arbres. On n'en trouvera pas ici. Continuons notre balade ; je suis sûr que Dago nous suivra sans problème et qu'il arrêtera de geindre.

Ils reprennent leur route. Claude a l'air morne. Son chien semble avoir perdu tout entrain et, parfois, laisse échapper un petit cri plaintif. La promenade, beaucoup moins gaie qu'au début de la matinée, se poursuit néanmoins pendant près d'une heure, dans un paysage superbe et sauvage.

— On pourrait s'arrêter ici pour déjeuner, propose soudain François. Ce coin s'appelle Bellevue. Parfait pour un repas en plein air ! Regardez, c'est vrai que la vue est splendide !

Mick sort les quatre paquets de sandwichs et Annie les distribue.

— C'est tellement bon ! commente le jeune garçon en engloutissant son casse-croûte. Eh ! Dago ! Un morceau ?

Le chien accepte. Il est devenu très silencieux. C'est justement ce calme inhabituel qui inquiète Claude. Pourtant son protégé avale les morceaux de jambon de bon appétit, et personne, à part sa jeune maîtresse, ne s'inquiète pour lui. Qu'est-il donc arrivé à Dago ? S'il est véritablement blessé, tout le week-end en sera gâché !

CHAPITRE 4

Claude est inquiète

Quand ils ont fini de déjeuner, il reste encore un sandwich et la moitié de la galette. Dagobert aurait été capable d'engloutir le tout, mais François s'y oppose.

— Tu en as eu assez !

Cependant ses yeux ne quittent pas le gâteau et il soupire quand il voit Annie le remballer.

— Prêts ? lance Mick quand tous les sacs à dos sont refermés. Regardez la carte : on va mettre le cap sur Langonnec. C'est un petit village où on pourra s'arrêter boire une bonne limonade. De là, on prendra la route qui nous mènera à l'Étang-Bleu. On devrait y être avant la nuit.

— C'est quoi, l'Étang-Bleu ? demande Annie.

— Le nom de la ferme où on passera la nuit.

— Tu es sûr qu'ils auront de la place pour nous ?

— Certain. Ils ont logé trois de mes copains de l'internat, cet été, dans une grange ; et ils ont même une chambre où pourront s'installer les filles.

— Je préférerais dormir dans la grange, bougonne Claude. Pourquoi est-ce qu'on coucherait dans une chambre ?

— Parce qu'il peut faire froid et que vous n'avez pas de couvertures.

— Eh bien, tant pis ! Je me réchaufferai dans le foin ou dans la paille, mais je refuse de passer la nuit dans un lit !

— Ouh ! Notre cousine s'énerve ! intervient Mick d'un ton amusé. Allons, François, tu sais qu'elle n'a peur de rien ! Elle est plus coriace que tous les garçons que je connais. Ah ! ah ! on dirait que ça te fait rougir, Claude – comme une fille !

Claude ne sait plus si elle doit rire ou se fâcher. Elle hausse les épaules, secoue ses cheveux coupés à la garçonne et se lève avec emportement. Les autres s'étirent tranquillement. Puis ils chargent leurs sacs et prennent le chemin indiqué par Mick. Dagobert les suit, mais son pas est lent et mal assuré. Claude, les sourcils froncés, ne le quitte pas des yeux.

— Qu'est-ce que tu as, Dago ? demande-t-elle. Regardez-le. Lui qui aime tant gambader, il avance comme une tortue.

Tout le groupe s'arrête pour observer le chien qui progresse lentement vers eux. Il boite légèrement de la patte arrière gauche. Claude s'agenouille et palpe le membre blessé.

— Il doit s'être foulé la patte, dans ce terrier, conclut-elle.

Délicatement, la jeune fille écarte les poils, cherchant une plaie qui expliquerait les plaintes de l'animal.

— On dirait qu'il y a un bleu, ici ! déclare-t-elle enfin, tandis que les autres se penchent pour voir. Annie a dû lui démettre la patte en le tirant hors du trou. Je t'avais bien dit de ne pas le tenir si fort !

— Je ne pouvais pas faire autrement ! réplique sa cousine, vexée du reproche.

— Je ne crois pas que ce soit bien grave, estime François après avoir attentivement examiné la patte du chien. Un muscle froissé peut-être ! Ça ira mieux après une bonne nuit de sommeil.

— Il faut en être sûr ! décide Claude. Puisqu'on doit bientôt arriver dans un village,

on pourra demander s'il y a un vétérinaire. Pour une fois, je regrette que Dago soit un aussi gros chien. Il est beaucoup trop lourd pour que je puisse le porter.

— S'il n'arrive pas à marcher sur sa patte endolorie, il se servira des trois autres. Hein, Dag ?

— Ouah ! fait le chien d'un faible jappement.

Toute l'attention qu'on lui porte n'est pas pour lui déplaire. Sa maîtresse lui caresse le crâne, entre les oreilles, et lui prodigue toutes sortes d'encouragements pour le décider à se remettre en route. Il la suit la queue basse. Il paraît souffrir de plus en plus. Il boite tellement que, bientôt, il renonce à utiliser le membre blessé.

Les enfants ont des mines bien piteuses quand ils entrent à Langonnec. Une vieille auberge dénommée *Les Trois Bergers* est la première maison que l'on rencontre en arrivant. Claude s'y précipite aussitôt. Une femme balaie le pas de la porte. La jeune fille lui demande s'il y a un vétérinaire dans les environs.

— Non, répond-elle. Pas avant Plouben, à dix kilomètres d'ici.

Le cœur de Claude se serre. Jamais Dagobert ne sera capable de parcourir une telle distance.

— Est-ce qu'on peut y aller en car ? questionne-t-elle.

— Pas pour Plouben, dit l'aubergiste. Mais si vous voulez faire examiner votre chien, allez au haras de M. Gaston. Il s'y connaît très bien en chevaux et en chiens. Il vous dira ce qu'il faut faire.

— Oh ! merci, s'écrie la maîtresse de Dagobert dans un grand élan de reconnaissance. C'est loin ?

— Dix minutes à pied. Suivez cette côte ; quand vous serez en haut, vous tournerez à droite et vous verrez une grande maison. C'est là, vous ne pouvez pas vous tromper, il y a des écuries tout autour. Demandez M. Gaston, il est très gentil et acceptera de vous recevoir.

Claude s'en retourne vers la petite troupe.

— Il faut aller chez ce M. Gaston, dit-elle. Si vous voulez, j'irai seule. Comme ça, vous pourrez partir en éclaireurs à la ferme où on doit passer la nuit.

— C'est d'accord, approuve François. Mais je viens avec toi.

— Et moi, ajoute Mick, je vais à l'Étang-Bleu avec Annie. Mais il fera nuit bientôt et vous aurez à faire le trajet dans l'obscurité. Vous avez de quoi éclairer le chemin ?

— J'ai ma grosse lampe torche, répond son frère.

Claude est heureuse de savoir que François l'accompagne et impatiente de connaître l'avis de M. Gaston. Elle presse tout le monde.

— Bon, eh bien, salut ! À tout à l'heure ! crie-t-elle en entraînant son cousin.

Dago la suit en clopinant, l'air malheureux. Annie et Mick reviennent sur leurs pas et quittent Langonnec.

— En avant pour l'Étang-Bleu ! lance Mick avec autant d'entrain que possible. Il faut qu'on y arrive au plus vite ! Pour ne pas perdre de temps, il vaut mieux qu'on demande notre chemin à la prochaine personne qu'on rencontrera.

C'est facile à dire. Malheureusement, les passants sont rares et les deux enfants n'en rencontrent aucun. Soudain, une petite camionnette surgit dans un virage. Mick interpelle le conducteur qui freine brusquement.

— On est bien sur la route qui conduit à la ferme de l'Étang-Bleu ?

— Euh ! répond l'homme en inclinant la tête.

— Il faut aller tout droit ou prendre les chemins de traverse ?

— Euh ! grogne son interlocuteur avec la même inclination de tête.

« Qu'est-ce qu'il veut dire avec ses euh ? » se demande le jeune garçon. Il élève la voix, comme s'il parlait à un sourd :

— C'est bien par ici ? répète-t-il en indiquant la route de son doigt tendu.

— Euh ! fait encore l'homme qui, du bout de son bras, indique la même direction que l'enfant, puis l'incline ensuite vers la droite.

— Compris ! Il faut tourner à droite. Où ça ?

— Euh ! répond une dernière fois le conducteur qui, l'instant d'après, fait vrombir son moteur si rapidement que la roue du véhicule frôle le pied de Mick.

— Eh bien, pour trouver l'Étang-Bleu avec tous ces euh, on n'est pas sortis de l'auberge ! Viens, Annie ! En route !

CHAPITRE 5

Annie et Mick

La nuit tombe très brusquement. Le soleil à peine couché, de gros nuages noirs montent dans le ciel.

— Il va pleuvoir, constate Mick. Dommage ! Je pensais qu'on profiterait d'une belle soirée...

— Dépêchons-nous, dit Annie. Je ne veux pas être obligée de me réfugier sous ces arbustes.

Ils accélèrent le pas. Un sentier s'amorce sur leur droite, sans doute celui que l'homme à la camionnette leur a indiqué. C'est un chemin creux assez semblable à celui qu'ils ont suivi le matin même. Mais, dans l'ombre, il a plutôt l'air sinistre.

— J'espère que c'est bien par là qu'il faut prendre, marmonne Mick. Dès qu'on rencontrera quelqu'un, on se renseignera.

— *Si* on rencontre quelqu'un..., précise Annie, impressionnée par le silence de ce lieu désert.

Ils avancent. Le chemin fait des lacets et, par endroits, devient très boueux.

— Il y a sûrement un ruisseau dans les parages, juge Annie en pataugeant dans des flaques gluantes. L'eau pénètre dans mes chaussures ; le terrain est de plus en plus bourbeux, j'en ai jusqu'aux chevilles. Ça ne sert à rien d'aller plus loin, Mick.

Le jeune garçon scrute l'ombre environnante. Il lui semble voir une petite échelle devant la haie, et il demande à sa sœur de prendre la lampe dans la poche extérieure de son sac. Quand il l'a allumée, les ténèbres se font encore plus denses autour du faible rayon lumineux, mais dans son faisceau apparaît une sorte d'échelle faite de branches entrecroisées.

— C'est bien une échelle, constate Mick. Elle doit conduire à un raccourci vers la ferme. Autant tenter le coup. De toute façon, ça nous mènera forcément quelque part.

Ils franchissent la haie. Devant eux une petite allée traverse un grand champ labouré.

— C'est un raccourci, déclare le jeune garçon. D'ici peu, on apercevra certainement les lumières de la ferme.

— À moins qu'on ne dégringole directement dans l'Étang-Bleu, ajoute Annie, que ses pieds mouillés rendent pessimiste.

Elle sent les premières gouttes de pluie ruisseler sur son visage. Quand les deux enfants ont dépassé le champ, l'averse tombe beaucoup plus fort. La fillette se décide à mettre son imperméable. Tous deux s'arrêtent sous un arbre et enfilent leurs capuches.

Une nouvelle haie franchie les conduit dans un autre champ, au bout duquel ils se trouvent face à une barrière soigneusement fermée. Ils l'escaladent. De l'autre côté, on n'aperçoit pas le moindre sentier, pas la moindre lumière, et la nuit, sombre et pluvieuse, se fait de plus en plus hostile. Mick balaie l'horizon du faisceau de sa lampe de poche.

— On dirait bien qu'il n'y a pas d'habitation par ici, et pourtant je n'ai aucune envie de revenir sur mes pas jusqu'à ce chemin plein de boue.

— Moi non plus, renchérit Annie avec un frisson. Cherchons plus loin : on va bien finir par découvrir quelque chose.

Perplexes, ils hésitent sur la décision à prendre, tendant l'oreille à la recherche du moindre son qui pourrait les guider. Et c'est alors que, dans la noirceur de la nuit, s'élève un bruit nouveau, tellement inattendu que tous deux sursautent. Qui aurait pu penser que, dans cette campagne déserte et ténébreuse, des cloches allaient, soudain, se mettre à retentir ? Annie se cramponne au bras de son frère.

— Qu'est-ce que c'est ? Ce n'est pas normal que le carillon sonne à cette heure-ci ! Et où est-il ? murmure-t-elle à voix basse.

Mick n'en a pas la moindre idée. Il est aussi surpris que sa sœur. Les cloches doivent être lointaines, mais de brusques rafales de vent les font paraître soudain très proches.

— Oh ! Je voudrais qu'elles s'arrêtent, gémit Annie. Elles ont un son lugubre, tu ne trouves pas ? Elles me font peur...

— Je me demande ce qu'elles peuvent signifier. C'est peut-être un signal d'alarme. Mais de quoi ? S'il y avait le feu quelque part, on le verrait.

— Elles ont un son étrange, à la fois proche et lointain..., commente Annie d'une voix angoissée. Ce sont peut-être des cloches fantômes...

— Tu dis n'importe quoi ! réplique Mick d'une voix qu'il s'efforce de rendre enjouée.

Mais, en fait, il ressent la même angoisse que

sa sœur. Tout à coup, aussi brusquement qu'il a commencé, l'insolite tintement s'arrête et un silence oppressant lui succède.

— Ouf ! C'est fini ! Enfin ! s'exclame Annie avec un soupir de soulagement. Je voudrais bien savoir ce qu'elles annonçaient ! Il faut vite atteindre cette ferme et se mettre à l'abri, Mick. Je ne veux plus entendre sonner ces cloches dans le noir et sous cette pluie !

— Viens ! On va longer cette haie, décide son frère.

Il saisit la fillette par la main et l'entraîne nerveusement à sa suite. Leurs efforts sont récompensés. Quelques minutes plus tard, ils sentent leurs pieds se poser sur un sol dur et lisse : c'est un chemin, un vrai chemin qu'ils suivent quelque temps le cœur battant. Et tout à coup, sur leur droite, une lumière attire leurs regards : une maison, enfin !

— La voilà, la ferme ! s'écrie Mick soulagé. Vite, Annie ! On est presque arrivés.

Ils poussent une grille aux barreaux tordus. Celle-ci s'ouvre en grinçant. Arrivés devant la porte, ils ne peuvent s'empêcher de regarder par la fenêtre aux volets ouverts. Ils aperçoivent une lampe posée sur une table, et, juste à côté, une vieille femme qui semble repriser un vêtement, la tête penchée sur son ouvrage.

Mick cherche la sonnette. Il n'y en a pas. Alors il frappe du doigt contre le battant. Personne ne répond. Par la fenêtre, il regarde la femme : elle n'a pas bougé. « Elle est peut-être sourde », pense-t-il, et il cogne de nouveau, très fort cette fois. Mais il n'obtient pas plus de réponse.

— On ne va jamais réussir à entrer, s'exclame Mick, impatient.

Il tourne la poignée de la porte. À son grand étonnement, cette dernière s'ouvre sans effort. L'occupante des lieux ne relève même pas la tête.

— Entrons. On ira se présenter, souffle Annie, tout aussi pressée que son frère de se mettre enfin à l'abri.

Dans la toute petite entrée où ils se trouvent, une porte entrebâillée, sur la droite, laisse passer un filet de lumière. Mick la pousse d'un geste résolu et pénètre dans la pièce, suivi par sa sœur. La femme, les yeux rivés à son ouvrage, n'interrompt pas son travail. Son aiguille brillante traverse le tissu avec une surprenante rapidité. C'est la seule chose qui semble vivante dans la pièce.

Les enfants s'avancent sans que la vieille femme les remarque, mais, quand ils sont tout près d'elle, elle sursaute et se lève si brusquement que sa chaise tombe à la renverse avec un bruit terrible.

— Excusez-moi, dit Mick, très gêné d'avoir causé une telle émotion à la pauvre femme. Nous avons frappé, mais vous n'avez pas entendu.

Elle le regarde fixement, la main crispée sur la poitrine.

— Oh ! vous m'avez fait peur ! s'écrie-t-elle. D'où venez-vous ? Que faites-vous dehors par un temps pareil ?

Le jeune garçon ramasse la chaise et la vieille s'y rassied, encore toute tremblante.

— On cherchait cette ferme, explique-t-il. C'est bien l'Étang-Bleu, n'est-ce pas ? Nous aimerions y passer la nuit avec deux de nos amis.

La femme désigne ses oreilles et secoue la tête.

— Je suis sourde, dit-elle. Inutile de me parler. Vous vous êtes égarés, sans doute ?

Mick fait signe que non.

— Vous ne pouvez pas rester ici, reprend la femme. Mon fils n'y tolère personne. Allez-vous-en avant qu'il n'arrive. Il a très mauvais caractère...

Mick secoue de nouveau la tête, puis il montre successivement la nuit pluvieuse au-dehors et Annie dans ses vêtements trempés. La vieille femme comprend.

— Vous avez perdu votre chemin, reprend-

elle. Vous êtes fatigués et mouillés, et vous n'avez pas envie de ressortir. Mais ce n'est pas possible. Il y a mon fils et il n'aime pas les étrangers.

Mick désigne encore sa sœur du doigt, puis un canapé dans l'angle de la pièce. Ensuite il se montre lui-même et indique la direction de la porte.

— Vous voulez que votre sœur couche ici, alors que vous, vous partirez ? demande la sourde.

Mick acquiesce. Il pense trouver une grange où s'abriter mais souhaite un peu plus de confort pour Annie.

— Mon fils ne voudra vous recevoir ni l'un ni l'autre, poursuit la vieille. S'il vous voit ici, il se mettra dans une colère terrible. Mais je ne peux pas jeter cette fillette dehors par un temps pareil. Viens, ma petite.

Elle saisit Annie par le bras et ouvre une porte, qui paraît être celle d'un placard :

— Monte, ajoute-t-elle.

Annie aperçoit un très petit escalier de bois conduisant quelque part dans les combles.

— Monte, répète la vieille, et ne descends pas avant que je t'appelle, demain matin. J'aurai des ennuis si mon fils apprend que je te loge ici.

— Vas-y, Annie, l'encourage Mick assez troublé. Je ne sais pas ce que tu trouveras... Si c'est inhabitable, redescends. Sinon, cherche une fenêtre ou une ouverture par laquelle tu puisses appeler et me dire si ça va.

— D'accord, répond sa sœur d'une voix un peu tremblante, et elle gravit l'escalier étroit et sale.

Elle pénètre dans une petite mansarde où elle voit, pour tout ameublement, un matelas et une chaise. Mais le matelas est propre et une couverture repose dessus, soigneusement pliée. Dans un coin, il y a une bouteille d'eau. Puis la fillette aperçoit une petite lucarne. Elle l'ouvre, attend un instant et crie :

— Mick ! Mick ! Tu es là ?

— Oui ! répond la voix de son frère. Comment ça va ? Tu penses pouvoir dormir là-haut ?

— Ça ira ! Et toi, comment tu vas faire ?

— Tu vois ces bâtiments devant toi ? Je passerai la nuit dans l'un d'eux et, si tu as besoin de quelque chose, appelle-moi !

CHAPITRE 6

Une nuit mouvementée

— Je ne serai pas mal, reprend Annie. Il y a un matelas plutôt propre et une couverture. Ça ira. Mais comment on fera quand les autres arriveront, Mick ? Je crois qu'il faudra qu'ils dorment avec toi. Cette vieille femme ne laissera plus entrer personne.

— Je vais les attendre et on se débrouillera. Mange le reste de tes sandwichs et du gâteau. Essaie de te sécher et de t'installer le moins mal possible. Ne t'inquiète pas pour nous et appelle-moi s'il y a le moindre problème.

Annie referme la lucarne. Elle est fatiguée et trempée, elle a faim et soif. Elle mange toutes ses provisions et boit quelques gorgées d'eau à la bouteille. Puis, s'enroulant dans la couverture, elle s'allonge sur le matelas, bien décidée à guetter l'arrivée des autres. Mais le sommeil est plus fort que ses résolutions. Elle s'endort sans même s'en apercevoir.

Pendant ce temps, Mick rôde autour des bâtiments. Redoutant de se heurter au fils de la vieille fermière, il se déplace avec la plus grande prudence, heureux pour une fois que la nuit soit si noire. Des bottes de paille placées devant l'entrée d'une grange l'incitent à pénétrer dans cet abri et, prudemment, il inspecte les lieux à la lueur à demi voilée de sa lampe électrique.

« Voilà exactement ce qu'il me faut, se dit-il. Je serai au chaud dans ce foin. J'ai tellement sommeil ! Mais il ne faut pas que je me couche tout de suite. François et Claude ne tarderont certainement pas à arriver. Je me demande ce que le vétérinaire leur aura dit au sujet de Dagobert. Je voudrais bien qu'ils soient là, tous les trois ! »

Pensant que son frère et sa cousine viendront par le même chemin que lui, il se rapproche de la grille et s'installe du mieux qu'il peut sous un petit auvent qui l'abrite de la pluie. Pour meubler son attente, il entreprend de se restaurer et mange de bon appétit ses derniers sandwichs. Quand il a fini, il se sent mieux, mais il a toujours les pieds mouillés et de plus en plus sommeil. Il bâille.

Depuis son poste, il voit la fermière, qui coud toujours, à la lumière de sa lampe, indifférente, semble-t-il, au temps qui passe. Enfin, deux heures plus tard environ, elle se lève et range son ouvrage. Elle disparaît dans la pièce, ou du champ de vision de Mick. Mais la lampe reste allumée, seul point lumineux dans la nuit noire.

Sur la pointe des pieds, il s'avance jusqu'à la maison. Il ne pleut plus et le ciel commence à se dégager. Quelques étoiles se montrent et Mick retrouve le moral. Il jette un coup d'œil dans la pièce. La femme est couchée sur le canapé, une couverture remontée jusqu'au menton. Elle semble dormir. Mick retourne sous son auvent, mais il commence à se dire que François et Claude ont dû s'égarer. À moins que, voyant l'heure et le mauvais temps, ils n'aient décidé de passer la nuit au village.

Pour la centième fois de la soirée, Mick bâille, puis décide qu'il a trop sommeil pour prolonger la veillée. « De toute façon, se dit-il, s'ils arrivent, je les entendrai. »

Utilisant sa lampe électrique avec les plus grandes précautions, il retourne vers son abri. Il repousse la porte derrière lui et la ferme sommairement de l'intérieur en calant un bâton entre deux clous. Il ne sait pas trop pourquoi il prend cette précaution. Sans doute, inconsciemment, cherche-t-il à se protéger du terrible fils de la fermière... Il s'allonge sur la paille et s'endort immédiatement.

Mick dort profondément. Bien au chaud dans la paille, il rêve de Claude et de Dagobert, mais aussi des cloches. Surtout des cloches. Il s'éveille en sursaut et se redresse, se demandant où il se trouve, et pour quelle raison on l'a enfoui dans cette matière piquante. Puis la mémoire lui revient. Il s'apprête à se rendormir lorsqu'il perçoit un bruit.

C'est une sorte de grattement léger contre le mur en planches de la grange. Des rats peut-être ? Mick frissonne. Il écoute plus attentivement. Le frottement semble venir de l'extérieur et non de l'intérieur de la bâtisse. Puis il cesse. Après un moment de silence, il reprend, non plus cette fois contre la cloison, mais bien contre la vitre d'une fenêtre aux carreaux cassés. Cela devient inquiétant. Retenant son souffle, l'oreille tendue, le garçon se concentre. Alors il entend une voix, une sorte de murmure rauque :

— Mick ! Mick !

Mick n'y comprend plus rien. Cela ne peut être François. Comment aurait-il pu deviner que son frère s'était caché dans ce bâtiment ?

De nouveau, quelques petits coups retentissent sur le carreau et la voix reprend, un peu plus fort :

— Mick ! Je sais que tu es là ! Je t'ai vu entrer. Approche-toi de la fenêtre, là. Vite !

Le jeune garçon ne reconnaît pas la voix. Ce n'est pas celle de François – encore moins celle de Claude ou d'Annie. Alors qui est cet inconnu qui l'appelle par son nom ? C'est incompréhensible ! Mick ne sait plus que faire. Anxieux et désemparé, il se dit qu'il doit rêver. Une chose est sûre, il n'a aucune envie de se retrouver nez à nez dans la grange obscure avec cette personne.

— Viens vite ! poursuit la voix. Je n'ai pas de temps à perdre ! J'ai un message pour toi.

Mick se glisse silencieusement sous la fenêtre et, d'une voix qu'il s'efforce de rendre rude :

— Je suis ici ! répond-il.

— Tu en as mis du temps à venir ! grogne celui qui se tenait au-dehors.

Mick entrevoit la tête de son interlocuteur : une tache sombre sur le ciel. Pas un cheveu ne dépasse de son crâne, rond comme un boulet. C'est un homme d'une quarantaine d'années. Il est chauve ou tondu de près. Seul son regard luit dans son visage baigné d'ombre. Mick s'aplatit encore davantage dans la paille. Heureusement que l'obscurité de la grange le rend lui-même invisible.

— Voici le message de Hortillon, reprend la voix. Écoute bien : Deux-Chênes. Les Eaux-Dormantes. La Belle-Berthe. Il m'a chargé aussi de te dire que Martine est au courant et il t'envoie ceci ; Martine a le même.

Une boulette de papier vole à travers le carreau cassé. Mick, ahuri, la ramasse. Que signifie toute cette histoire ? La voix s'élève de nouveau, rapide et pressante.

— Tu as bien entendu, Mick ? Deux-Chênes. Eaux-Dormantes. Belle-Berthe. Et Martine sait tout. Maintenant, je m'en vais.

Un pas étouffé longe la grange, une branche craque et le silence retombe. De plus en plus dérouté, Mick s'assied et réfléchit. Qui peut bien être cet individu qui l'appelle par son nom au milieu de la nuit. Et qu'est-ce que ce message incompréhensible ?

Le jeune garçon est parfaitement réveillé à présent. Il se lève et scrute l'horizon par la fenêtre. Il ne voit rien que la maison solitaire et le ciel noir. Il retourne s'asseoir et, allumant sa lampe, déplie le papier qu'il a ramassé. C'est une feuille de cahier déchirée, où quelques traits de crayon s'entrecroisent, formant un mystérieux schéma. Mick repère bien quatre mots, écrits ici et là, mais ceux-ci n'élucident en rien le message.

« Je suis certainement en train de dormir. Tout ceci n'est qu'un rêve », se dit-il en glissant le papier dans sa poche. Puis il retourne s'enfouir au plus profond du trou qu'il s'est creusé dans la paille.

Il somnole à moitié lorsqu'un nouveau bruit le tire de sa torpeur. Quelqu'un s'approche de la grange à pas lents et étouffés. Est-ce le chauve qui revient ? Cette fois, l'arrivant tente d'entrer dans la grange, mais le bâton placé par Mick empêche la porte de s'ouvrir. Une secousse brutale fait tomber le bâton et la porte s'entrebâille.

Une silhouette sombre, celle d'un homme, se glisse à l'intérieur. Mick l'a à peine aperçue, mais la masse de cheveux hirsutes qui couronne sa tête suffit à lui prouver que cette personne n'est pas la même que celle de la fenêtre. Le cœur battant, le jeune garçon se tient immobile, aux aguets, sous la paille, souhaitant de tout son cœur que le nouveau visiteur ne se dirige pas dans sa direction. Heureusement, l'arrivant s'assied sur un sac et attend, grommelant à voix basse. Mick parvient à saisir quelques-unes de ses paroles.

— Qu'est-ce qu'il lui est arrivé ? Il va me faire attendre longtemps ?

Le reste se perd dans un murmure indistinct proféré sur un ton de mauvaise humeur. Puis l'homme se lève, se dirige vers la porte, regarde au-dehors, revient s'asseoir au milieu de la grange.

— Attendre ! Attendre ! Je ne fais que ça, se plaint-il encore.

Puis il se tait. Pendant ce long silence, Mick sent ses paupières s'appesantir. Peu à peu, il part dans un véritable rêve : il se voit traversant un pays étrange où, dans les chênes dressés deux par deux, des cloches sonnent à toute volée. Le garçon dort d'un sommeil de plomb, toute la nuit. Les premières lueurs du jour l'éveillent brusquement. Il se redresse, regarde autour de lui. Il est seul.

CHAPITRE 7

Enfin le matin

Mick se lève et s'étire. Il se sent sale et mal réveillé. Il a aussi très faim. Il se demande si la vieille femme accepterait de lui donner un peu de pain et un verre de lait. « Annie doit être affamée, elle aussi, se dit-il. Comment s'est donc passée sa nuit... ? » Prudemment, il sort de la grange et lève la tête vers la lucarne où sa sœur lui est apparue la veille. Elle est déjà là, derrière la vitre, guettant son arrivée.

— Comment ça va ? questionne Mick en évitant de crier trop fort.

Elle ouvre la petite ouverture et sourit à son frère.

— Bien ! répond-elle. Mais je n'ose pas descendre... Le fils de la fermière est en bas. Je l'entends parler de temps en temps, et sa voix n'a rien de rassurant. Je comprends qu'elle ait si peur de lui.

— J'attendrai qu'il soit sorti pour parler à sa mère, décide Mick. Elle pourra peut-être nous donner de quoi petit déjeuner.

— J'espère ! J'ai très faim et il ne me reste plus une miette de galette. Tu veux que j'attende ici que tu m'appelles ?

Mick acquiesce d'un signe de tête et disparaît. Il vient d'entendre claquer une porte. Des pas s'approchent. Un homme paraît. Il est petit, trapu, les épaules voûtées au point d'être presque bossu. Sa tête se couvre d'une tignasse hirsute. C'est la personne que Mick a vue dans la grange, le second de ses visiteurs nocturnes ! Il grommelle des propos incompréhensibles et semble de plus mauvaise humeur encore que pendant la nuit. Le jeune garçon se coule dans la grange et s'y cache.

Mais l'individu n'y pénètre pas. Il se contente d'en longer le mur. Mick écoute décroître le bruit de ses pas, puis il entend ouvrir et refermer violemment une grille.

« C'est le moment ! » se dit-il et, rapidement, il quitte son abri et se dirige vers la petite maison. En plein jour, celle-ci a l'air vétuste et décrépie. On l'aurait volontiers prise pour une maison abandonnée. Mick sait qu'il est inutile de frapper. Il entre d'un pas déterminé et trouve la vieille femme occupée à laver quelques assiettes. En apercevant le jeune garçon, elle reprend le même air d'affolement que la veille.

— Je t'avais complètement oublié, explique-t-elle. Et la petite fille aussi, d'ailleurs. Fais-la descendre, avant que mon fils ne revienne. Et allez-vous-en vite tous les deux !

— Pouvez-vous nous donner un peu de pain ? hurle Mick.

Cependant la vieille femme ne comprend rien de ce qu'il dit. Elle ne répond qu'en le repoussant vers la porte et en secouant un torchon mouillé dans sa direction. Le garçon s'esquive et lui indique un morceau de baguette sur la table.

— Non ! Non ! Je t'ai dit de partir. Du balai ! crie la vieille, visiblement terrorisée à l'idée de voir surgir son fils. Et emmène la gamine, vite !

Mais, avant que Mick ait pu gagner l'escalier, un pas retentit dans la cour et l'homme aux cheveux broussailleux pénètre dans la pièce. Il est déjà de retour, tenant en main les œufs qu'il est allé chercher, au poulailler sans doute. Il traverse la cuisine et dévisage Mick.

— Qu'est-ce que c'est que ça ? hurle-t-il. Va-t'en !

Le jeune garçon juge prudent de ne pas révéler qu'il a passé la nuit dans la grange.

— Je voulais savoir si votre mère pouvait nous donner... ou même nous vendre du pain ? murmure-t-il d'une voix qu'il s'efforce de rendre ferme.

Quelle erreur ne vient-il pas de commettre ! Il a dit « nous » ! Le fils de la fermière va immédiatement comprendre qu'il n'est pas seul !

— Nous ? s'énerve en effet celui-ci, jetant un regard circulaire dans la pièce. Comment ça, *nous* ? Qu'il se montre, ton copain, et je vous dirai ce que je pense des gamins qui viennent me chiper mes œufs !

— Je vais aller le chercher, répond Mick, saisissant cette occasion de s'échapper et il court jusqu'à la porte.

D'un bond, l'individu s'élance à sa suite. Il est sur le point de rattraper sa proie, mais Mick est plus vif que lui. Le jeune garçon saute les marches, fonce à travers la cour et, le cœur battant, se dissimule derrière un appentis. Impossible de partir en laissant Annie derrière lui.

L'homme s'est arrêté sur le pas de la porte. Il continue de hurler, mais il ne cherche pas à prendre l'enfant en chasse. Il finit par rentrer

dans la maison et en ressort presque aussitôt, portant un seau de grain. De toute évidence, il va donner à manger à ses poules. Il faut en profiter pour faire évader Annie.

Quand Mick entend le bruit de la grille se refermant au loin, il quitte sa cachette et contourne rapidement la maison. Il aperçoit, derrière la petite lucarne, le visage d'Annie terrifié. Elle a entendu les rugissements du fils de la fermière.

— Annie ! crie Mick. Descends tout de suite. Il est parti. Dépêche-toi !

La fillette ramasse aussitôt son sac à dos, bondit à la porte, dégringole l'escalier et s'enfuit de la cuisine à toute allure. La vieille femme, en l'apercevant, la poursuit à coups de torchon, en poussant des cris.

Pendant ce temps, Mick, entré lui aussi dans la cuisine, attrape sa sœur par le bras et l'entraîne jusqu'au chemin, au-delà de la grille par laquelle ils sont arrivés la veille. Annie tremble de peur.

— Oh ! Mick ! Quel affreux bonhomme ! s'exclame-t-elle, s'appuyant contre un tronc, autant pour se cacher que pour retrouver son souffle. Et quelle horrible maison ! D'ailleurs, ça n'a rien d'une ferme ! Il n'y a ni vache ni cochon, pas même un chien !

— Tu sais, Annie, plus j'y pense, plus je suis persuadé qu'on s'est trompés de route. Ce n'est pas la ferme de l'Étang-Bleu, et c'est pour ça que François et Claude ne nous ont pas rejoints.

— Tu crois ? Alors ils doivent se demander ce qui nous est arrivé.

— C'est probable. Il faut les retrouver au plus vite. On va retourner à Langonnec.

À cet instant, un jeune garçon passe sur le chemin en sifflotant et s'arrête, surpris de découvrir, à cette heure matinale, deux inconnus de son âge au bord du ruisseau.

— Hello ! dit-il. On se balade ?

— Oui ! répond Mick. Est-ce que tu sais si cette maison que l'on voit là-bas est bien la ferme de l'Étang-Bleu ?

Il montre du doigt le toit de l'inquiétante demeure où ils ont passé la nuit. Le garçon se met à rire.

— Ce n'est pas une ferme, s'esclaffe-t-il. C'est la maison des Tagard. Une étrange baraque. N'y allez pas. De toute façon, le fils vous mettra à la porte. Dans le coin, on l'appelle Mick-qui-pique. Ce type est une vraie terreur ! La ferme de l'Étang-Bleu est de l'autre côté du village, dans ce vallon. Si vous voulez vous y rendre, prenez le petit chemin à gauche, tout de suite après

L'Auberge des Trois-Bergers. Vous ne pouvez pas vous tromper.

— Merci ! lance Mick.

Les deux enfants atteignent enfin le village de Langonnec et retrouvent sans peine l'enseigne de bois sculpté où trois bergers, houlettes en main, observent la route d'un œil morne.

— Mick, murmure Annie. Je commence à avoir vraiment très faim... Tu crois qu'on pourrait s'arrêter là et commander quelques tartines et un bol de chocolat chaud ?

— Oui, moi aussi j'aimerais manger un morceau. Mais il faut d'abord téléphoner, répond son frère avec fermeté.

Cependant, alors qu'il s'apprête à gravir le perron de l'auberge, il s'arrête net.

— Mick ! Annie ! crie une voix sonore derrière lui. Les voilà ! Mick ! Mick !

C'est la voix de François ! Le voilà qui apparaît sur la place centrale, accompagné de Claude et Dagobert qui dévalent la rue à toute allure. Le chien arrive le premier : il ne boite plus ! Il saute sur Mick et Annie, aboyant comme un fou et léchant toutes les surfaces de leurs corps que ne recouvrent pas leurs vêtements.

— Oh ! Je suis tellement contente de vous revoir, s'exclame Annie, d'une voix un peu tremblante. On s'est perdus la nuit dernière... On va vous raconter. Mais d'abord, est-ce que Dago a pu être soigné ?

— Oui, affirme sa cousine. M. Gaston s'est bien occupé de lui. Tu vois, il gambade comme avant !

— Vous avez faim ? l'interrompt François. Claude et moi, on n'a encore rien mangé ! On était tellement inquiets de votre disparition qu'on se préparait à alerter la police. Entrons dans *L'Auberge des Trois Bergers*, et vous nous raconterez ce qui vous est arrivé autour d'un bon petit déjeuner !

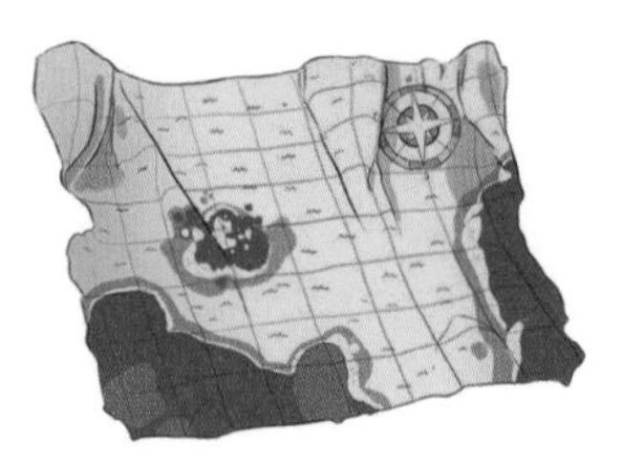

François attrape sa sœur par le bras et le serre.

— Ça va, Annie ? demande-t-il, inquiet de la voir si pâle.

La fillette hoche la tête. Maintenant que le Club des Cinq est réuni, elle se sent tout à fait rassurée.

— Je suis seulement affamée, répond-elle.

— Eh bien, je vais nous commander un petit déjeuner du tonnerre ! promet François.

L'aubergiste s'avance vers eux, le sourire aux lèvres.

— Bonjour, madame, commence Claude. Est-ce qu'il est trop tard pour vous demander quelques tartines et une boisson chaude ?

— Pas du tout ! Il n'y a pas d'heure pour faire un bon repas ! J'ai du pain fait maison, du beurre de nos vaches et du miel de nos abeilles. Je peux aussi vous servir du chocolat au lait bien mousseux...

— Ce sera parfait ! répond Claude, regardant la femme comme si elle était une fée bienfaisante.

La petite troupe pénètre dans une salle à manger très accueillante et s'installe autour d'une table. Une bonne odeur de pain grillé flotte dans l'air.

— D'abord, racontez-nous comment s'est passée l'expédition chez M. Gaston, dit Mick en caressant le chien.

— Eh bien, il n'était pas là quand on est arrivés, explique François. Mais sa femme nous a dit de l'attendre et qu'il saurait guérir Dago. Alors on a attendu et attendu...

— Jusqu'à sept heures et demie, intervient Claude. On était de plus en plus gênés de rester plantés là... Enfin, M. Gaston est rentré chez lui.

— Il est vraiment sympa, continue son cousin. Il a examiné la patte de Dago, puis il a fait quelque chose, je ne sais pas quoi, il l'a remise en place, je pense. Dag a poussé un hurlement et Claude s'est précipitée sur lui. Ça a bien fait rire M. Gaston.

— N’empêche qu’il a été très brutal, l’interrompt Claude. Mais il savait ce qu’il faisait, et, maintenant, la patte blessée n’est plus qu’un mauvais souvenir.

— Tant mieux, affirme Annie. J’ai pensé à ce pauvre Dagobert toute la nuit.

Elle administre de petites tapes affectueuses au chien et il lui lèche la main de sa langue humide.

— Et qu’est-ce que vous avez fait ensuite ? demande Mick.

— M. Gaston a insisté pour qu’on reste dîner, répond son frère. Et, comme on avait terriblement faim, on a accepté. On s’est régalés. Dagobert aussi ! Il avait le ventre tellement bombé qu’on aurait dit qu’il allait exploser !

— Même pas vrai ! l’interrompt Claude, qui ne supporte pas qu’on se moque de son chien.

Et pour détourner la conversation, elle reprend la suite du récit.

— Quand on est partis, il était plus de neuf heures. On ne se tracassait pas pour vous : on pensait que vous nous attendiez tranquillement à l’Étang-Bleu. C’est seulement quand on y est arrivés et qu’on nous a dit que vous n’étiez pas là, qu’on a commencé à s’inquiéter.

— Et puis on a cru que vous aviez trouvé un autre abri pour la nuit, poursuit François. Mais, sans nouvelles de vous ce matin, ça nous a paru grave ; c'est pourquoi on allait signaler votre disparition à la police.

— On est partis sans déjeuner, continue Claude. Ce qui prouve combien on était inquiets...

Une serveuse entre, portant un large plateau couvert de vaisselle et de pots fumants. Les quatre enfants n'en reviennent pas. Tout a l'air délicieux. Le temps que les premières tartines soient dévorées, plus un mot n'est échangé ; enfin François, servant une seconde ration de chocolat au lait, fait remarquer à son frère et à sa sœur :

— Vous ne nous avez pas encore dit ce qui vous était arrivé cette nuit. Pourquoi est-ce que vous ne nous avez pas retrouvés à l'Étang-Bleu ? Ce n'est pas très sympa de nous avoir posé un lapin...

— Comment ça, un lapin ? répond Mick, indigné. Si tu veux tout savoir, on s'est perdus. Et, quand on est enfin arrivés quelque part, on était persuadés d'être au lieu du rendez-vous.

— Mais vous auriez quand même pu vous renseigner !

— Nous renseigner auprès de qui ? réagit Annie. Il n'y avait qu'une vieille femme sourde

comme un pot, qui ne comprenait rien à nos questions.

— Et je te signale qu'Annie et moi avons passé une nuit épouvantable, insiste Mick, passablement vexé par le dédain de son frère. Elle, dans une affreuse mansarde et moi, dans une grange où j'ai été témoin de choses tellement bizarres que j'en suis encore à me demander si je ne les ai pas rêvées.

— Quelles choses ? demande François, sur un tout autre ton.

— Je ne sais pas encore si ça vaut la peine que j'en parle.

Claude repose sur la table la tartine qu'elle s'apprête à engloutir.

— Eh bien, dit-elle. Votre nuit paraît avoir été plutôt mouvementée. Racontez-nous tout ça dans l'ordre, pour qu'on y comprenne quelque chose.

— Alors voilà, commence sa cousine. Il pleuvait et il faisait noir. On ne savait plus où aller, et j'avais peur. Mais le plus effrayant c'est quand les cloches se sont mises à retentir ! Vous les avez entendues ? Elles faisaient un bruit terrible, hallucinant !

— C'étaient les cloches de la prison, précise François. La femme de M. Gaston nous l'a expliqué. Elles sonnaient pour avertir tous les gens de la région qu'un prisonnier s'était échappé. C'est un signal d'alerte pour dire : « Prenez garde ! Un malfaiteur rôde ! Soyez prudents. »

La fillette regarde son frère avec des yeux pleins d'effroi.

— Heureusement que je ne savais pas ça, remarque-t-elle. J'aurais eu encore plus peur toute seule dans mon grenier ! Est-ce qu'on a rattrapé ce détenu ?

— Je ne sais pas, répond François.

Comme la serveuse rentre à ce moment dans la salle à manger, les enfants lui posent la question. Elle secoue la tête.

— Non, dit-elle. Il court toujours, mais plus pour longtemps. Les routes sont gardées et tout le monde est averti. C'est un cambrioleur qui compte à son actif plusieurs vols importants. Un homme dangereux...

— Est-ce que c'est bien prudent de continuer notre randonnée dans la lande lorsqu'un bandit s'y promène ? demande Annie, inquiète.

— On a Dagobert, rappelle François. Il nous protégera.

— Ouah ! approuve le chien, battant le plancher de sa queue.

Avant de partir, les enfants achètent quelques provisions à l'aubergiste. Au bas de la grand-rue,

ils prennent un petit sentier en zigzag, qui les conduit dans une vallée où coule un ruisseau rapide, qu'on entend de loin clapoter sur les cailloux.

— Ce cours d'eau rejoint un peu plus loin le chemin qu'on doit prendre, indique Claude en scrutant la carte. Il suffit de le longer. Mais il n'y a pas de sentier... la marche sera peut-être difficile.

La petite troupe s'engage à travers champs dans la direction du ruisseau. Quand ils atteignent ses rives ombragées, François se tourne vers son frère :

— Et maintenant, Mick, si tu nous racontais ce qui t'est arrivé la nuit dernière ?

— D'accord, répond le jeune garçon. Alors voici l'histoire...

CHAPITRE 9

Le récit de Mick

Les quatre cousins s'aperçoivent vite que le chemin est tellement raboteux qu'ils ne peuvent pas marcher à la même allure. Aussi, ils ne parviennent pas tous à entendre l'histoire de Mick. Quand celle-ci commence à devenir réellement surprenante, François arrête la petite bande et, indiquant du doigt un tapis de bruyère :

— Asseyons-nous, ici. On sera mieux pour écouter. Et personne ne pourra s'approcher sans qu'on s'en aperçoive.

Ils s'asseyent et Mick reprend son récit. Quand il en arrive au moment où, dans la grange, il a cru entendre des rats grignoter les planches du mur, les trois autres enfants sont pris d'un fou rire, ponctué par les aboiements de Dago, surpris et excité par cette soudaine hilarité. Mais tout le monde se calme lorsque Mick explique qu'il a alors entendu une voix inconnue l'appeler par son prénom.

— Quoi ? s'exclame Claude. Mais, qui donc aurait pu savoir que tu étais là ?

Sans se troubler, Mick poursuit :

— C'est bien ce que j'ai pensé ! Mais la voix m'a dit : « Je sais que tu es là, Mick, je t'ai vu entrer. »

— Incroyable, murmure François, le souffle coupé. Et après ?

— Après, on m'a invité à me rapprocher de la fenêtre.

— Tu l'as fait ? demande Annie.

— Oui, mais en me cachant. Alors, j'ai aperçu la silhouette d'un type d'allure assez effrayante. Lui, il ne pouvait pas me voir dans l'obscurité de la grange. Alors, j'ai simplement répondu : « Je suis là... »

— Et qu'est-ce qu'il t'a dit ?

— Des paroles qui n'avaient ni queue ni tête. Et il les a répétées deux fois. C'était : « Deux-Chênes. Eaux-Dormantes. Belle-Berthe. » Et aussi : « Martine est au courant. » Voilà. C'est tout !

Personne n'ose parler. Puis Claude éclate de rire.

— Deux-Chênes. Eaux-Dormantes. Belle-Berthe ! répète-t-elle. Mais c'est n'importe quoi ! Ça ne veut rien dire ! Moi, ça ne m'aurait pas fait peur...

— Entendre en pleine nuit un inconnu t'appeler par ton prénom et te transmettre un message incompréhensible, ça t'aurait certainement effrayée, rétorque Mick.

Mais il recommence à se dire que toute cette histoire est bien trop invraisemblable pour être réelle. Peut-être qu'après tout ce n'était qu'un mauvais rêve... Quand, brusquement, un détail lui revient en mémoire. Il se redresse.

— Attendez, dit-il, je me souviens d'autre chose. L'homme a jeté une boulette de papier à travers le carreau cassé et je l'ai ramassée.

— Ah ! ah ! Si tu as toujours ce papier avec toi, c'est bien la preuve que tout ce que tu nous as raconté s'est bel et bien passé..., déclare François.

Mick fouille les poches de son pantalon. Il en sort une feuille de cahier sale et chiffonnée. Quelques mots y sont visibles. Les yeux brillants, il la tend aux autres.

— C'est ça, la pièce à conviction ? demande Claude, se penchant dessus pour l'examiner.

— Je n'y comprends rien, s'écrie François après une étude minutieuse. On dirait que c'est une espèce de plan.

— Le type m'a dit qu'une certaine Martine possédait, elle aussi, un papier comme celui-ci, précise Mick.

— Mais on ne connaît pas de Martine..., murmure Annie.

— Et ensuite, qu'est-ce qui s'est passé ? demande François de plus en plus intéressé.

— L'homme est parti, répond Mick et, plus tard, le fils de la sourde est entré dans la grange. Il s'est assis sur un sac. Il a attendu et attendu. Il grommelait. Ce matin, quand je me suis réveillé, il n'était plus là. Là encore, j'ai pensé que j'avais rêvé, mais quand je l'ai vu dans la cuisine, je l'ai bien reconnu.

Les enfants se regardent, les sourcils froncés. Puis, brusquement, Annie se met à parler avec volubilité :

— Je crois que j'ai compris pourquoi le fils de la sourde est entré dans la grange. C'était à lui que le premier visiteur voulait transmettre le message et le bout de papier. Et non à Mick. Mais il avait vu une ombre se faufiler dans la nuit et pensait que c'était l'homme qu'il devait rencontrer.

— Mais ça n'explique pas comment il savait mon nom, fait observer son frère.

— Il ne le savait pas ! insiste Annie, de plus en plus excitée. Il ne soupçonnait même pas ton existence ! Tu ne te souviens pas de ce que nous a dit le garçon qu'on a croisé sur la route ? Le fils de la sourde s'appelle Mick, lui aussi ! Mick-qui-pique ! Tout s'explique : l'homme tondu a vu ta silhouette se glisser dans la grange. Il a cru que c'était son complice. Puis il a tapé au carreau, et comme il n'obtenait aucune réponse, il a appelé Mick. Mais, en fait, c'était Mick-qui-pique qu'il cherchait... pas toi ! Quand il t'a entendu, il a pensé que tu étais la bonne personne, et il t'a transmis son message. Puis il est parti. C'est plus tard seulement, que l'autre Mick, celui qui avait vraiment rendez-vous, est arrivé et a attendu. Mais son visiteur était déjà parti, et la commission déjà faite !

Après ce long discours, la fillette s'arrête à bout de souffle et contemple les autres d'un air anxieux.

— Beau raisonnement, Annie, finit par admettre François. Je crois que tu as deviné juste.

Tous observent ensuite un long moment de silence. Ils réfléchissent. Puis, brusquement, Claude questionne :

— Est-ce que tout cela n'aurait pas un rapport avec le prisonnier évadé ?

— C'est possible ! répond Mick. Le chauve était peut-être l'évadé lui-même.

— Il t'a dit qui l'envoyait ?

— Oui. Il a précisé qu'il venait de la part de... Horti..., Hortillard. Non ! Hortillon ! Il me semble que c'était ça, Hortillon. Mais je dormais à moitié et lui ne parlait qu'à voix basse. Je me trompe peut-être.

— Un message de Hortillon..., répète François. Ça veut peut-être dire que cet Hortillon est en prison. Et qu'il a profité de l'évasion d'un de ses codétenus pour faire passer des informations secrètes à un complice : le fameux Mick-qui-pique !

— Oui, c'est possible..., approuve son frère.

— Eh bien, Mick-qui-pique savait comme tout le monde que les cloches de la prison annonçaient l'évasion d'un prisonnier. Il avait dû être prévenu qu'un de ses amis, s'il parvenait à s'enfuir, lui porterait un message, à la nuit tombée, dans sa grange.

— Ça tient debout..., conclut Claude. Tu dois avoir raison.

— Et c'est toi qui as reçu le message de Hortillon ! s'écrie Annie. Quelle coïncidence !

C'est dommage qu'on ne sache pas ce que signifient ses paroles et son papier !

— On devrait peut-être avertir la police..., suggère François. Ce qu'on a appris pourrait aider les gendarmes à rattraper le prisonnier.

— Oui ! renchérit Annie. Je suis d'accord avec toi... On ne doit pas garder ça secret.

Son frère aîné étudie sa carte pendant quelques instants et lance :

— Regardez, on pourrait se diriger vers ce village qui s'appelle Pontcret. On y sera à temps pour déjeuner.

Tout le monde approuve l'idée de François. La petite troupe se met en route.

CHAPITRE 10

Un gendarme désagréable

Il y a bien une gendarmerie à Pontcret, une toute petite gendarmerie avec un seul brigadier. Celui-ci est à table lorsque les enfants arrivent. Ils frappent à la porte et, ne recevant pas de réponse, s'éloignent déçus. Le gendarme les aperçoit de sa fenêtre et il sort en s'essuyant la bouche. Il a l'air bougon parce qu'il déteste être dérangé quand il déguste son plat de saucisses aux oignons. Responsable de quatre communes, l'homme montre une certaine tendance à se prendre pour quelqu'un d'important.

— Qu'est-ce que vous voulez ? demande-t-il, soupçonneux.

François s'adresse à lui poliment.

— On voudrait vous parler de quelque chose d'important... de grave, peut-être. Ça concerne le prisonnier qui s'est évadé.

— Ah ! ah ! fait le brigadier, ironique. Vous l'avez rencontré, c'est ça ? Vous n'êtes pas les premiers à me dire ça ! À en croire toutes les personnes qui sont persuadées de l'avoir aperçu, ce type était présent ce matin aux quatre coins de la région en même temps. Ce prisonnier aurait donc des dons d'ubiquité ?

— Je vous assure que je l'ai vu cette nuit, l'interrompt Mick avec fermeté. Tout au moins, je pense que ce doit être lui. Il m'a même transmis un message.

— Vraiment ? dit le gendarme de plus en plus sceptique. Il n'aurait que ça à faire ? Plutôt que de quitter le pays au plus vite, il distribuerait des mots d'ordre à des écoliers ? Vous me faites bien rire ! Et peut-on savoir quel était cet intéressant message ?

La phrase que répète le jeune garçon au représentant de la loi a l'air plus stupide que jamais : « Deux-Chênes. Eaux-Dormantes. Belle-Berthe. Martine sait. »

— Tiens ! Tiens ! reprend l'homme, encore plus sarcastique. Martine est au courant ? Eh bien, vous direz à Martine de venir m'apporter un complément d'information. J'aimerais bien la connaître, moi ! C'est une amie à vous, j'imagine !

— Pas du tout, bredouille Mick, ennuyé. On ne sait pas qui c'est. L'inconnu ne m'a rien dit d'autre, mais il m'a aussi donné ce morceau de papier.

Il tend la pièce à conviction au brigadier, qui la regarde avec un sourire ironique.

— Ah ! ah ! il vous a donné ça ! C'est bien gentil à lui ! Et que signifient ces gribouillages ?

— On n'en sait rien, répond Claude. Mais ça pourrait peut-être servir à retrouver le prisonnier évadé, non ?

— Il est déjà capturé, annonce le gendarme avec un sourire de triomphe. Vous qui savez tant de choses, vous ignorez cela ? Il a été repris dans la matinée, et à cette heure-ci il est bien à l'abri dans sa prison. Alors ne me faites pas perdre de temps avec vos farces d'écolier !

— Mais on ne plaisante pas du tout ! s'irrite Claude. Vous feriez mieux de nous prendre au sérieux !

Cette réflexion ne plaît pas au brigadier. Il se tourne vers la jeune fille, les joues rouges.

— Je n'ai pas de leçons à recevoir de gamins comme vous, fulmine-t-il. Allez, filez, ou je prends vos noms et je fais un rapport !

— Bon, eh bien, puisque nos renseignements ne vous intéressent pas, rendez-nous notre papier ! exige Mick.

Le gendarme fronce les sourcils. Il brandit le document et commence à le déchirer tranquillement. Le jeune garçon s'élance pour l'arrêter, mais il est trop tard : la feuille de papier partagée en quatre morceaux s'envole au vent. Le brigadier lance un coup d'œil sévère aux quatre enfants. Puis il tousse, et s'en retourne à ses oignons et à ses saucisses.

— J'espère que son déjeuner sera froid ! s'écrie Claude, en aidant Mick à ramasser les fragments de papier. Quel ignoble personnage !

— Il faut reconnaître que notre histoire est bizarre, dit François après un silence. Nous-mêmes, on a eu du mal à y croire.

— Ce gendarme nous a tout de même appris une bonne nouvelle, intervient Annie. Le prisonnier évadé est de nouveau sous clé. Je me sens rassurée.

— Moi aussi, renchérit Mick. Je me souviens de son regard... Il était effrayant. Et maintenant, qu'est-ce qu'on va faire ? Oublier tout ce micmac, ou chercher à tirer au clair cette affaire ?

— Je ne sais pas..., répond François. Ça mérite réflexion. Commençons par déjeuner, on verra ensuite.

Ils accostent une jeune fille qui passe par là, et lui demandent s'il y a une auberge ou un restaurant dans le coin. Elle fait oui de la tête et, tendant le doigt, indique une ferme à flanc de coteau, à demi cachée sous un bosquet d'arbres.

— C'est là qu'habite ma grand-mère, explique-t-elle. Elle a toujours de bonnes choses en réserve dans son réfrigérateur et, en été, elle prépare des repas aux touristes. La saison est finie maintenant, mais je suis sûre qu'elle trouvera quelque chose à vous servir.

François la remercie et toute la bande se dirige vers la maisonnette, au long d'un petit chemin creux et sinueux qui grimpe la colline. Une voix d'homme interpelle les arrivants :

— Attention aux chiens, les enfants ! Qu'est-ce que vous voulez ?

— On nous a dit qu'on pourrait trouver à déjeuner ici.

— Ah ! D'accord. Je vais demander à ma mère, répond l'homme.

D'une voix sonore, il crie :

— M'man ! m'man ! J'ai quatre gosses, ici, qui demandent si tu peux leur donner à manger ?

Une femme aux cheveux blancs, rondelette, aux yeux brillants et aux joues rouges, apparaît

sur le seuil. Elle jette un coup d'œil aux petits visages anxieux derrière la barrière et dit :

— Ils ont l'air correct ! Qu'ils entrent, mais qu'ils tiennent leur chien par le collier.

Les Cinq se dirigent vers la ferme, Claude maintenant Dago avec fermeté.

— Entrez, leur dit la vieille dame. Je n'ai pas grand-chose en réserve. Il faudra vous contenter de ce qu'il me reste : du pâté fait maison, quelques tranches de jambon, des œufs durs et de la salade. Je mettrai le tout sur la table et vous vous servirez vous-mêmes. Est-ce que ça ira ?

— On s'en régale d'avance, répond François avec un large sourire.

— Quant au dessert, je n'ai plus de gâteau, mais je pourrais ouvrir un de mes bocaux de compote et vous la servir avec de la crème. Et j'ai aussi du fromage blanc...

— C'est parfait, se réjouit Mick. Ça me donne encore plus faim !

La jeune fille rencontrée au village rentre chez sa grand-mère pendant que les enfants finissent de déjeuner. François engage la conversation. Il a une idée derrière la tête :

— Nous explorons la lande, explique-t-il, et on a déjà découvert des tas de coins ravissants. Mais on aimerait bien trouver un endroit qui s'appelle les Deux-Chênes. Tu sais où ça se trouve ?

La fille secoue la tête.

— Mais grand-mère saura peut-être.

Et elle appelle la vieille femme, qui montre aussitôt son visage bienveillant et coloré dans l'entrebâillement de la porte.

— Les Deux-Chênes ? répète-t-elle. Oui, je connais. C'était autrefois une charmante villa, mais elle est en ruine maintenant. Elle était construite au bord d'un lac étrange, aux eaux noires, au milieu de la lande. Voyons, comment s'appelle ce lieu ?

— Les Eaux-Dormantes ? suggère Mick.

— Oui, c'est ça, les Eaux-Dormantes ! Vous comptez vous y rendre ? Soyez très prudents ! Le terrain est marécageux aux alentours ; on peut y perdre pied au moment où on s'y attend le moins. Vous avez encore faim ?

— Non, merci, répond Annie. C'était exquis !

— On vous doit combien ? demande Claude.

Les enfants règlent l'addition et quittent la ferme.

— En route pour les Eaux-Dormantes et les Deux-Chênes, s'écrie Claude. Cette randonnée va devenir passionnante !

CHAPITRE 11

Une bonne idée

Ils descendent la colline et prennent un chemin qui s'enfonce à travers la lande. Dès qu'ils sont hors de vue de toute habitation, ils s'arrêtent et François sort sa carte. Il l'étend au sol et tous, allongés sur le ventre dans la bruyère, cherchent à s'orienter.

— D'après ce que la fermière nous a dit, précise Mick, il faut trouver un lac quelque part, au centre de la lande.

Il promène son doigt ici et là, lorsque Claude repousse sa main, et souligne un mot inscrit en lettres minuscules.

— Ici, regardez ! crie-t-elle, ce n'est pas tout à fait au centre, mais il y a écrit : *Eaux-Dormantes*, et on aperçoit une étendue d'eau. C'est sûrement ça, non ? Mais je ne vois pas les Deux-Chênes.

— Ils ne doivent pas être indiqués, répond François en soulevant la carte pour mieux voir. Mais si ce n'est qu'une ruine, ça n'a rien d'étonnant. Ce qui m'étonne, c'est qu'aucun chemin ne semble conduire aux Eaux-Dormantes.

— On pourrait se renseigner au village, suggère Annie.

Son avis est adopté à l'unanimité et la petite bande, regagnant le village, fait irruption à la Poste, une toute petite annexe. Le vieil employé, qu'ils trouvent assis derrière l'unique guichet, écoute leur requête, et leur jette un regard surpris.

— Les Eaux-Dormantes ? articule-t-il lentement. Pourquoi voulez-vous y aller ? Il y a quelques années, c'était un joli but d'excursion, mais à présent, c'est désert, abandonné, et presque sinistre.

— Pourquoi ? questionne Mick.

— Parce que le feu a tout détruit, répond le vieux monsieur. Le propriétaire s'était absenté et, quand il est rentré, c'était trop tard. Personne ne sait ni où ni comment l'incendie s'est déclaré, mais ce qui est sûr, c'est que rien n'a pu être sauvé ! Il n'y avait pas de voisins proches. Même les pompiers n'auraient pas pu intervenir à

carnet
KAWA 1
tes
Zz

temps : il n'y a pas de route, tout juste un chemin étroit, rempli d'ornières et de boue.

— Et on n'a pas reconstruit ? demande François, surpris.

Le postier secoue la tête.

— Non. Le propriétaire y a renoncé. Ça n'en valait pas la peine. Les corneilles et les hiboux doivent maintenant avoir pris possession des lieux, et les bêtes sauvages s'y abriter la nuit. C'est un étrange décor. J'y suis retourné une fois, mais il n'y avait plus rien à voir que les fondations et quelques murs en ruine se reflétant dans l'eau sombre du lac. Plus que les Eaux-Dormantes, on devrait les appeler les Eaux-Mortes !

— Vous sauriez nous indiquer le chemin ? intervient Claude.

— Ça ne vaut pas le déplacement, je vous assure.

— On ne compte pas y rester, s'empresse de préciser Mick. C'est juste que ce nom nous plaît. Les Eaux-Dormantes... c'est assez poétique ! On ne voudrait pas quitter la région sans les avoir vues. Par où avez-vous dit qu'il fallait passer ?

— Vous avez une carte ?

François tend la sienne. Le vieil homme prend un crayon et trace un trait à travers l'espace désertique de la lande. Puis, çà et là, il dessine quelques croix.

— Vous voyez ces marques ? demande-t-il. Elles indiquent les marécages. Ne vous y aventurez jamais ou vous auriez vite de l'eau plus haut que les genoux. Suivez les chemins que j'ai soulignés et tout ira bien.

— Merci beaucoup, dit François, repliant sa carte. Vous pensez qu'il faut compter combien de temps de marche ?

— Environ deux heures et peut-être plus. N'essayez pas d'y aller cet après-midi, il est trop tard. La nuit vous surprendrait sur le chemin du retour et si vous perdez de vue le sentier vous risquez de vous embourber dans les marais.

— C'est juste, répond Mick. Merci de l'avertissement.

— Bonne promenade ! lance le postier, amusé par tant d'enthousiasme.

Au moment de partir, François s'arrête et paraît réfléchir. Il revient brusquement sur ses pas.

— Est-ce que vous connaîtriez quelqu'un qui pourrait nous prêter une tente, et peut-être aussi des couvertures ? demande-t-il.

— Une tente ? Vous avez l'intention de camper ?

— Il fait si beau ! explique le jeune garçon. Et c'est tellement plus amusant que l'hôtel !

Mick, Claude et Annie se tournent vers

François et le dévisagent avec ahurissement. Camper ? Où ? Et pourquoi ? François leur adresse un clin d'œil, tandis que le vieux postier, qui n'a rien remarqué, répond en souriant :

— Ah ! Les jeunes ! Tous les mêmes ! Attendez ! J'ai peut-être ici quelque chose qui pourrait vous servir.

Il se lève et furète dans un placard. Puis il en extirpe deux grandes toiles huilées.

— Vous pourrez en utiliser une comme tapis de sol, dit-il. Et vous faire un toit de l'autre en l'accrochant aux branches ! Maintenant, je vais chercher des couvertures.

Après que le vieil homme s'est engouffré dans un couloir derrière le guichet, Mick se tourne vers son frère.

— À quoi nous servira tout ce matériel ? Tu as vraiment l'intention de coucher dehors ?

Mais le postier revient avant que François ait eu le temps de répondre. Il a les bras chargés de couvertures que les enfants roulent aussitôt avec les toiles imperméables et accrochent à leurs sacs.

— Vous êtes bien courageux de camper en cette saison ! s'exclame le guichetier. Soyez prudents, surtout !

— Oui, on fera attention, le rassure François.

Lorsque les enfants se sont suffisamment

éloignés du bureau de poste, François daigne enfin répondre aux interrogations de sa bande. Il s'arrête et explique :

— Eh bien, voilà. En écoutant le postier, je me suis dit qu'il fallait absolument qu'on aille vérifier ce que sont vraiment ces fameuses Eaux-Dormantes. Comme on n'a pas beaucoup de temps devant nous, je pense qu'il vaut mieux passer la nuit là-bas, plutôt que d'attendre jusqu'à demain pour nous y rendre.

— Aller camper aux Eaux-Dormantes ! s'exclame Claude.

— Oui... Je suis persuadé que les Deux-Chênes cachent quelque chose.

Avant de quitter le village, ils achètent du pain, du beurre, des blancs de poulet rôti, un énorme cake, du chocolat et des biscuits. Annie insiste aussi pour qu'ils prennent une bouteille de sirop de cassis.

— On trouvera sûrement une source ou un puits sur place, dit-elle. Ça donnera meilleur goût à l'eau.

Lourdement chargés, ils marchent moins vite que d'habitude, sauf Dagobert qui gambade de gauche à droite, agile et rapide comme s'il n'avait jamais eu de patte blessée. La petite troupe suit prudemment les chemins tracés par le vieux guichetier.

— Il a dû être facteur autrefois et porter souvent des lettres aux Deux-Chênes, affirme Mick. Sinon il ne connaîtrait pas si bien la route.

— D'après la carte, déclare François, on doit traverser un petit bois avant d'arriver au lac.

Quelques minutes plus tard, ils approchent de l'orée de la forêt. Soudain, Annie s'écrie :

— Ce n'est pas un lac qu'on voit là-bas ?

Tous s'arrêtent et scrutent l'horizon. La nappe d'eau qu'ils aperçoivent au-delà des arbres est d'un bleu sombre, presque noir. Les Eaux-Dormantes ! Les randonneurs repartent d'un pas plus rapide. Dagobert court en tête, sa longue queue se balançant dans l'air. Un petit chemin en lacet les conduit à un sentier abandonné, envahi par les mauvaises herbes.

— Le sentier des Deux-Chênes, murmure François, identifiant cette piste à la description qu'en a faite le postier.

Le chemin les mène hors du petit bois, et, tout à coup, ils se trouvent face à face avec une villa en ruine : les Deux-Chênes. À mesure que les enfants progressent en direction de la maison, les oiseaux s'envolent sur leur passage en poussant des cris aigus.

— Je n'aime pas ce lac, déclare Annie en frissonnant. Pourquoi est-on venus ici ?

Tous partagent le sentiment d'Annie. L'endroit n'est vraiment pas accueillant. Ils l'examinent avec une certaine appréhension lorsque Claude indique silencieusement de son doigt tendu les deux extrémités de la maison. À chacune se dresse le tronc calciné d'un arbre énorme.

— Des chênes, chuchote-t-elle. Ils ont donné leur nom à la villa. On dirait des squelettes tordus. Tout est mort et sinistre ici.

Ils parcourent les ruines. Vers le centre, on distingue nettement les contours de ce qui devait être une chambre. Les murs en sont à moitié détruits.

— Ça pourra toujours nous servir d'abri,

affirme Mick. Ces restes de cloisons nous protégeront du vent.

Annie s'approche.

— C'est horrible, grimace-t-elle, et ça sent le moisi ! Je ne pourrai jamais dormir là-dedans.

— Trouve-nous autre chose si tu veux, concède son frère. Moi, je vais aller cueillir de la fougère pour me faire un matelas. François, Claude, vous venez avec moi ?

Ils s'éloignent tous les trois et reviennent peu après, portant d'énormes brassées d'herbes rousses et sèches. Annie les attend, très excitée.

— J'ai trouvé quelque chose, dit-elle. C'est mille fois mieux que cette horrible chambre. Venez voir !

La fillette les entraîne dans ce qui avait dû être la cuisine. À une extrémité de la pièce, une porte vermoulue abattue au sol découvre l'entrée d'un escalier souterrain.

— Ça doit conduire aux caves !

— Allons voir ! décide Claude.

Elle allume sa lampe torche et dirige le faisceau en direction de l'escalier. Celui-ci paraît en bon état. Elle s'y engage, faisant signe aux autres de l'attendre, mais Dagobert la devance et dévale les marches le premier. Puis on entend une exclamation de joyeuse surprise.

— C'est une très belle pièce, crie la voix de

la jeune fille. On dirait presque un salon. Il y a même des fauteuils et une table. Et au-delà il y a d'autres caves plus petites. Descendez ! Il faut qu'on s'installe ici !

Ses compagnons la rejoignent aussitôt au bas de l'escalier.

— Regardez ! Il y a encore des bougies sur cette étagère, se réjouit Mick. On pourra les allumer et faire un dîner aux chandelles ! On sera très bien ici. Beaucoup mieux que dans cette chambre à demi brûlée. Annie avait raison !

Les fauteuils noircis cèdent lorsque les enfants tentent de s'y asseoir, mais la table résiste au traitement brutal que Claude lui fait subir pour la débarrasser de son épais revêtement de poussière. Les enfants déballent leurs provisions, puis ils recommencent à inspecter les lieux. François découvre un placard dissimulé dans une boiserie.

— Encore des bougies ! déclare-t-il. Tant mieux ! Et puis des tasses et des assiettes ! Si on trouve un puits, on pourra les laver et s'en servir pour notre repas.

Annie se souvient d'avoir remarqué, près de l'évier de la cuisine, quelque chose qui ressemble à une pompe.

— Va voir, François ! Elle fonctionne peut-être encore !

Le jeune garçon remonte à la surface, une bougie allumée à la main. Sa sœur ne s'est pas trompée. Il actionne le levier avec force et, brusquement, l'eau commence à gicler. François poursuit la manœuvre. Au départ, l'eau qui remonte lui paraît croupie et fétide, ce qui n'a rien de surprenant après sa longue stagnation dans les tuyaux rouillés. Mais le garçon ne se décourage pas. Poursuivant la manœuvre, il pompe et pompe. Enfin, prenant une des tasses découvertes dans le placard, il la rince et goûte l'eau. Elle est froide comme de la glace, et sans arrière-goût désagréable.

— Bravo, Annie ! crie-t-il en descendant. Grâce à toi, on ne mourra pas de soif.

Le petit salon offre à présent un aspect accueillant et presque pimpant. Claude et Annie ont allumé une bonne douzaine de bougies et les ont disposées un peu partout, jusque dans les coins les plus sombres. Elles dégagent une lumière chaleureuse, et font paraître extrêmement appétissantes les provisions joliment étalées sur des mouchoirs blancs couvrant la table.

Mick distribue les morceaux de poulet rôti, que les enfants mangent assis sur leurs lits de branchages. Les toiles huilées étalées dessous en guise de tapis de sol les protègent de l'humidité.

Tout en avalant leur dîner, les quatre discutent de leurs projets.

— Qu'est-ce qu'on cherche au juste ? demande Annie. Vous croyez vraiment que ces ruines cachent un secret ?

— Je crois même savoir lequel ! affirme Mick.

— Ah oui ? s'exclament Claude et Annie, mais François, avec un petit sourire mystérieux, se tait, car il croit avoir deviné, lui aussi.

— On sait qu'un prisonnier, nommé Hortillon, a fait parvenir un message à deux personnes : l'une est Mick-qui-pique, qui ne l'a pas eu ; l'autre est Martine, qui l'a reçu. La question est de savoir maintenant ce qu'il avait à leur dire. À tous les coups, ça devait porter sur un vol, ou quelque chose de ce goût-là. Hortillon a dû chercher à indiquer où trouver quelque chose, ou quelqu'un. Peut-être un butin caché. Comme il ne peut pas communiquer avec l'extérieur depuis la prison...

— ... il profite de l'évasion d'un autre détenu pour confier à ce dernier un message qui révèle, dans un langage crypté, l'emplacement de la cachette ! l'interrompt François, les yeux brillants. Cet homme aux cheveux rasés que tu as vu derrière les carreaux de la grange, c'était bien le prisonnier échappé !

— Martine et le fils de Mme Tagard sont donc bien les complices de Hortillon ! s'écrie Claude. Mais Mick-qui-pique n'a pas eu les informations qu'il pensait recevoir dans la grange. Ce qui signifie que seule Martine pourra se lancer à la recherche du trésor !

— Alors, il faut qu'on le découvre avant elle ! s'écrie François. On est arrivés les premiers sur les lieux, c'est déjà beaucoup. Demain, aussitôt que possible, on se mettra en chasse ! Quelle était la suite de la phrase, après « Deux-Chênes et Eaux-Dormantes » ?

— « La Belle-Berthe », répond Mick.

— Qu'est-ce que ça peut bien désigner ? demande Annie. Ça n'a pas l'air d'un nom de lieu. Un troisième personnage dans le secret ?

— Moi, ça me rappelle le dernier roman que j'ai lu : il y était question d'un bateau baptisé *La Belle-Marthe*, marmonne Mick.

— C'est vrai que ça pourrait être un bon nom de bateau, renchérit Claude. Et puis, on peut cacher plein de choses dans une cale...

— Un peu facile..., poursuit son cousin. Je te rappelle qu'on n'a pas affaire à des amateurs ! À mon avis, *La Belle-Berthe* est un indice, mais rien de plus ! Il ne faut pas oublier, non plus, le papier qui accompagnait le message oral. Il doit

avoir un sens, lui aussi ! Il faut absolument qu'on comprenne ce qu'il indique...

— Mais souviens-toi, cet idiot de gendarme l'a déchiré ! s'écrie sa sœur.

— Oui, mais je vous rappelle que j'ai pris soin de ramasser les morceaux ! reprend Mick, fouillant dans sa poche. Il nous faut juste quelques bouts de Scotch pour les recoller. Est-ce que l'un de vous aurait pensé à en emporter ?

Heureusement Annie a laissé sa trousse de collégienne au fond de son sac : elle y conserve un rouleau de bande adhésive. Elle en découpe quelques petites bandes qu'elle colle derrière le papier déchiré. En quelques instants les quatre morceaux n'en font plus qu'un seul.

— Je n'y comprends rien, dit François. Quatre traits se rencontrent au centre. On distingue bien un mot à l'extrémité de chacun des traits, mais la trace du crayon s'est presque effacée. Là, j'ai l'impression qu'il est écrit « bol » ? Mais avant ? « Ti », « té » ? Je ne vois pas. Et ici ? « cloche » ? « clocher » ? Oui, clocher !

On rapproche les bougies et, l'un après l'autre, les enfants tournent et retournent entre leurs doigts le fameux papier. Enfin, Annie parvient à lire le troisième mot : *cheminée*, et Claude le quatrième : *Haute-Pierre*.

— Qu'est-ce que ça veut dire ? s'exclame-t-elle dépitée. Ça n'a aucun sens ! On ne trouvera jamais rien avec de pareils indices !

Après de longues minutes passées à scruter la feuille, les enfants décident d'aller se coucher, certains qu'ils y verront plus clair après une bonne nuit de sommeil.

La feuille de papier est soigneusement pliée et Annie se charge de la conserver. Mais au moment de se glisser sous leurs couvertures, les quatre enfants se rendent compte qu'ils sont trop excités pour dormir.

— Même si je n'ai pas la moindre idée de ce que signifie ce gribouillage, je suis sûre qu'il est de la plus haute importance, fait observer Claude. Tout ce qu'il nous faut, c'est un début d'indice qui nous mette sur la piste... et alors tout deviendra clair.

— Je l'espère, murmure Annie.

— Et n'oublions pas que cette mystérieuse Martine possède les mêmes informations que nous, ajoute Mick. Seulement, elle sait probablement à quoi elles se rapportent !

— Mais j'y pense, s'exclame Claude, en se redressant soudain. Si on ne s'est pas trompés dans nos déductions, elle viendra ici, elle aussi ! Il va falloir se méfier.

— Et qu'est-ce qu'on fera si on la voit ? demande sa jeune cousine, assez effrayée à cette idée. Il faudra bien se cacher, non ?

François réfléchit un moment et répond :

— On ne se cachera pas ! Cette femme ne peut pas savoir qu'on a intercepté le message et le papier de Hortillon. Faisons comme si de rien n'était : on dira qu'on a découvert cette maison en ruine au cours d'une balade, et qu'on a décidé de s'y installer.

— D'accord, mais il faudra qu'on l'ait à l'œil si elle vient, et qu'on surveille chacun de ses mouvements, ajoute Mick.

— Rien ne dit qu'elle viendra seule, fait remarquer Claude. Peut-être même qu'elle amènera Mick Tagard. De toute évidence, ils sont complices...

— Oui, mais je te rappelle que Mick-qui-pique n'a reçu aucun message, intervient François.

— Tout ça est compliqué ! conclut Annie en étouffant un bâillement. Moi, je commence à fatiguer...

— J'ai aussi sommeil que toi, renchérit Mick en se frottant les yeux. Je crois que je vais me coucher. Je pense qu'on dormira bien : ce salon souterrain est vraiment confortable.

— Moi je n'aime pas cette porte ouvrant sur ces petites caves, répond la fillette. Qui nous dit que Martine et ses amis ne s'y cachent pas ? Ils attendent peut-être qu'on s'endorme pour nous sauter dessus ?

— Tu es bête ! riposte Claude. Vraiment bête ! Dagobert ne se tiendrait pas aussi tranquille si des gens se cachaient tout près de nous !

Ces paroles réconfortent Annie, qui se pelotonne dans son lit improvisé. Elle se sent mille fois plus rassurée que la nuit précédente, seule dans son horrible petite mansarde. Elle s'endort sans crainte.

Ses frères et sa cousine ne tardent pas à l'imiter, bien au chaud sous leurs couvertures et leurs vêtements, qu'ils n'ont pas quittés. Ils ont laissé une bougie allumée : elle brûle paisiblement sur la table. Sa lueur vacillante promène un rond lumineux au plafond. Dagobert s'allonge, comme toujours, contre les jambes de Claude et le silence emplit la pièce.

Les quatre cousins dorment comme des loirs. Aucun d'eux ne remue. Seul Dago se lève une ou deux fois. Il a entendu du bruit dans les caves. Il s'arrête devant la porte y conduisant, la tête penchée de côté, les oreilles droites. Puis il retourne se coucher, satisfait. Ce n'est qu'un crapaud. Dago l'a reconnu à l'odeur.

François est le premier debout. Les bruyères et les fougères se sont tassées sous son poids et le matelas lui paraît tout à coup très dur. Il se retourne pour trouver une position plus confortable, et ce mouvement l'éveille. Pendant un instant, il se demande où il est. Puis la mémoire lui revient et il se redresse. Mick ouvre un œil et bâille. Son frère le tire par la manche.

— Il est huit heures et demie, lui dit-il, après avoir regardé sa montre. On a dormi bien trop longtemps !

Ils quittent leurs lits improvisés et Dago vient joyeusement les saluer en leur balayant les jambes de sa queue. Cette agitation arrache les filles à leur sommeil. Claude et Annie vont se laver à la pompe et l'eau froide dissipe la brume de leurs esprits encore un peu endormis. Dago a droit à un grand bol d'eau claire et les garçons se tâtent pour savoir s'ils auront le courage de prendre un bain dans le lac. Ils se sentent très sales, mais le seul aspect de cette eau sombre et sans mouvement les fait frissonner.

— Ce sera froid, fait Mick en se grattant la

nuque, mais je crois que ça nous fera du bien ! Viens, François !

Ils s'élancent d'un même bond jusqu'aux rives et plongent. L'eau est glaciale. Ils n'y restent qu'un instant, nageant vigoureusement puis retournent à la villa dévastée, gesticulant et criant, la peau rougie de froid.

Quand ils entrent dans le salon souterrain, les filles ont préparé le petit déjeuner. Tout le monde se régale de pain, de beurre, et de chocolat.

— Bon, dit enfin Mick. Il faut qu'on élucide rapidement le mystère de la *Belle-Berthe*. Puisqu'on n'a aucun indice, je propose qu'on creuse l'idée qu'il puisse s'agir d'un bateau. Il doit bien y avoir un hangar quelque part, puisqu'on est tout près d'un lac.

— Est-ce qu'on va encore passer une nuit ici ? demande Annie.

— Moi, ça me paraît nécessaire, répond François. On a du pain sur la planche.

— Et il est hors de question de repartir bredouilles ! ajoute Claude, d'un ton résolu.

Dagobert est le premier à s'élancer au-dehors. Les enfants l'imitent, et parcourent un sentier bordé de chaque côté par un petit mur de pierre. Maintenant, les ruines croulantes se recouvrent d'un manteau de mousse. Le chemin disparaît sous les touffes d'ajoncs et de bruyères. Puis le lac apparaît, toujours sombre et immobile. Les enfants s'en approchent : sur leur passage, quelques poules d'eau s'envolent en piaillant. Claude inspecte les lieux d'un regard perçant.

— Je ne vois pas l'ombre d'un abri à bateaux..., commente-t-elle.

CHAPITRE 14

Où est la Belle-Berthe ?

Les randonneurs s'efforcent de suivre la berge du lac, mais un fouillis d'arbres et de buissons forme de multiples obstacles qui rendent la progression difficile. Enfin Claude pousse un cri de joie.

— Regardez ! s'exclame-t-elle. Il y a une espèce de rivière qui sort du lac, ou plutôt une sorte de chenal. Et on dirait qu'il y a un local en tôle un peu plus loin...

C'est en effet sur ce chenal qu'a été construit un modeste hangar pour remiser les bateaux. Quelques instants plus tard les enfants découvrent une vieille baraque faite d'un revêtement métallique, surplombant le petit canal et si bien enfouie sous la mousse et le lierre qu'elle est presque invisible.

— Voilà ce qu'on cherchait ! s'écrie François radieux. En avant pour la *Belle-Berthe* !

À travers branches et ronces, ils se frayent un chemin jusqu'au bâtiment. L'entrée se trouve sur la façade principale, celle qui domine l'eau. On y accède par quelques marches. Mais cet escalier de bois, sur lequel ne subsistent que de rares traces de peinture blanche, est presque en ruine.

— Hum ! fait Mick en secouant la tête. Il va falloir être prudent !

— Laissez-moi passer en premier ! ordonne Claude en bousculant ses cousins.

Elle essaie de gravir les marches branlantes, mais le bois pourri craque et s'effondre sous son poids chaque fois qu'elle y pose le pied.

— Rien à faire ! dit-elle. Il faut chercher une autre entrée !

Les enfants inspectent les trois autres faces du bâtiment. Celles-ci ne montrent ni porte ni brèche. Soudain, Annie s'arrête devant la façade ouest. Plus exposée aux intempéries, les planches qui ferment ce côté du bâtiment semblent plus abîmées que les autres.

— On pourrait peut-être les enfoncer ? suggère la fillette.

François essaie d'en arracher une. Elle cède

au premier effort et, en quelques instants, avec l'aide de Mick, il a dégagé dans la cloison une assez large ouverture. Il se glisse dans le hangar, obscur et imprégné d'une infecte odeur de moisi.

Une sorte de petit quai maçonné cerne l'intérieur du bâtiment. Au-dessous s'étend l'eau noirâtre et sans mouvement. François appelle ses compagnons.

— Venez ! Ça a l'air en bon état ! Mais apportez les lampes, on n'y voit rien !

Le reste de la bande se glisse dans le hangar. Il faut un instant pour que leurs yeux s'habituent à l'obscurité du lieu. La grande arche de l'entrée s'ouvre en face d'eux, tellement encombrée de lierre et de branches pendantes qu'elle ne laisse passer qu'une faible lueur verdâtre.

Mick sort sa lampe. Le décor est peu engageant. Des rames décolorées sont dressées contre le mur, une gaffe gît dans un coin, des masses informes et molles sont sans doute celles de vieux coussins pourris. Des paquets de cordages verdissants s'enroulent ici et là, ou pendent en longues spires informes.

— Il y a des bateaux ici ! s'écrie soudain le jeune garçon très excité, et discernant vaguement dans le contre-jour quelques silhouettes sombres au-dessus du niveau de l'eau.

— Il y en a même un amarré à ce poteau, à mes pieds. Si c'était la *Belle-Berthe* ?

Il y a trois barques. Deux d'entre elles, à demi remplies d'eau, ne montrent plus qu'une poupe émergeant avec peine au-dessus de l'eau sombre.

— Regardons leurs noms ! suggère Claude.

Son cousin dirige la lumière de sa lampe contre la quille la plus proche. Les lettres sont presque entièrement effacées.

— Qu'est-ce que c'est ? marmonne-t-il en se penchant. Attendez, je lis *Fréti... Frétillante* quelque chose.

— Fanny, complète Annie. *Frétillante-Fanny*. Voyons les autres !

La lumière de la lampe de Mick se pose sur l'arrière émergé du bateau suivant. Le nom est beaucoup plus lisible. Tous le lisent aussitôt :

— *Gros-Grégoire* !

— Ces canots ne méritent pas leurs noms ! fait observer Claude avec un sourire. Ils n'ont l'air ni frétillants et ni bien portants.

— À tous les coups, le dernier bateau sera la *Belle-Berthe* ! s'écrie Annie, prenant goût à cette recherche. J'en suis sûre !

Il leur faut suivre le quai jusqu'à son extrémité, avant d'atteindre la troisième barque. Claude y parvient la première :

— Oh ! Le nom commence par un J ! Je n'arrive pas à lire la suite, mais c'est un J !

François trempe son mouchoir dans l'eau et s'en sert pour nettoyer l'emplacement des lettres couvert d'une pellicule de vase séchée. Le nom apparaît aussitôt. Mais ce n'est pas la *Belle-Berthe*.

— *Joyeux-Joël*, lisent quatre voix mornes. On a fait fausse route.

— Peut-être que la *Belle-Berthe* a coulé, et qu'elle gît au fond du lac..., suggère Annie.

— J'en doute..., répond Mick. L'eau n'est pas profonde ici. S'il y avait quelque chose sous la surface, on le verrait à la lumière de nos lampes. Regarde, on voit même le sable !

Pour plus de sûreté, les randonneurs parcourent toute la longueur du quai, balayant l'eau noire du jet de leurs lampes. Il n'y aucune trace d'un canot naufragé.

— On doit se rendre à l'évidence, conclut François. La *Belle-Berthe* n'est pas là. En supposant qu'il s'agisse bien d'un bateau...

Une dernière fois, les lumières des torches électriques fouillent tous les coins et recoins du hangar. Claude remarque un large assemblage de planches appuyé contre le mur, tout près de l'entrée.

— Qu'est-ce que c'est ? demande-t-elle. On dirait un radeau.

Tous vont examiner de près l'objet.

— Tu as raison ! Et il est en bon état, constate Mick. Est-ce qu'il serait assez résistant pour nous porter tous les cinq ?

— Oh ! s'écrie sa sœur, enthousiaste. Quelle bonne idée ! J'ai toujours rêvé de faire une promenade en radeau. Et franchement, celui-ci a l'air plus sûr que n'importe lequel des bateaux qu'on a vus...

— C'est vrai, confirme François. Mais on n'est pas venus jusqu'ici pour faire un tour en radeau ! On doit retrouver la *Belle-Berthe*...

— Eh bien, il faut élargir notre terrain de recherche ! intervient Claude avec vigueur. Ça vaudrait certainement le coup d'inspecter le lac... Le bateau que l'on recherche est peut-être à flot, mais caché sous les arbres, près de la berge.

— Voilà une bonne idée ! s'écrie Mick, reprenant espoir.

— Pourquoi ne pas y avoir pensé plus tôt ? renchérit son frère.

Ils sortent du hangar par la brèche que François y a ouverte. À droite comme à gauche, la végétation, laissée à l'abandon, dresse une barrière infranchissable sur les berges du lac.

— Commençons par la gauche, propose l'aîné du Club des Cinq. Les broussailles semblent y être un peu moins touffues.

Les premiers mètres se révèlent plus faciles à inspecter que prévu. Les enfants examinent les plus petites criques, soulèvent les branches pendantes, se glissent entre les troncs et poursuivent leur chemin, pleins d'espoir. Mais les branchages se font bientôt plus denses, les ronces et les clématites sauvages s'y emmêlent ; il devient impossible aux jeunes explorateurs de progresser sans abîmer leurs vêtements et égratigner leurs mains. Puis le passage s'obstrue tout à fait ; il faut renoncer.

Les enfants se regardent, navrés, leurs mains sont couvertes d'écorchures, leurs pulls lacérés. Dagobert est le seul qui paraît à son aise. Il trouve même cette aventure très réjouissante et ne demande qu'à continuer. Aussi est-il bien déçu quand Claude le rappelle et qu'il la voit faire marche arrière.

— On essaie l'autre côté ? demande Mick sans enthousiasme.

— Oh ! Non ! répond Annie. Je ne vois pas pourquoi ce serait plus facile par là ! On ferait mieux de se servir du radeau...

— C'est vrai que ce serait le meilleur moyen pour explorer les berges, ajoute sa cousine.

D'ailleurs, si on avait été malins, on aurait commencé par là ! Je suggère qu'on s'y mette tout de suite après le déjeuner. Peut-être qu'on ne trouvera pas la *Belle-Berthe*, mais, au moins, on passera un bon après-midi.

Les enfants retournent vers la villa en ruine. Tout à coup, Dagobert s'arrête en poussant un grognement sourd. La petite troupe s'immobilise aussitôt.

— Qu'est-ce qu'il y a, Dago ? demande Claude à voix basse. Tu as vu quelque chose ?

Le chien gronde encore et les randonneurs, prudemment, se dissimulent dans les buissons, scrutant du regard la maison et ses abords. Ils ne voient rien d'extraordinaire. Tout semble calme. Pourquoi Dagobert a-t-il l'air si méfiant ? Soudain, une silhouette apparaît, contournant les ruines. C'est une femme.

— Martine ! Je parie que c'est Martine ! murmure François.

Un homme surgit à son tour.

— C'est Mick-qui-pique ! chuchote Mick. Oui, c'est bien lui ! Je le reconnais !

CHAPITRE 15

Martine et Mick-qui-pique

Anxieusement, se demandant quelle conduite adopter, les enfants surveillent le couple. Mick ne peut détacher ses regards de l'homme. Il reconnaît sa silhouette trapue, ses épaules voûtées et la masse hirsute de sa chevelure. La femme qui l'accompagne ne semble guère plus sympathique. Elle est grande et anguleuse, vêtue d'un imperméable sordide et coiffée d'un bonnet de laine, qui dissimule ses cheveux. Tout en parlant, elle marche vite et les éclats de sa voix, tranchante et criarde, portent loin.

Pour retenir Dago, Claude a posé une main sur son collier. Les autres sont accroupis derrière elle, bien cachés par les buissons.

— Qu'est-ce qu'on fait ? demande Annie, inquiète. Il vaut peut-être mieux qu'on reste cachés, en attendant qu'ils s'en aillent...

— Qui sait quand ils partiront ? chuchote François. Toutes nos affaires sont dans la cave, il faut qu'on y aille ! Voilà ce que je propose de faire. On va sortir de ce fourré et se diriger vers la maison, en parlant gaiement entre nous comme si de rien n'était. Dites autant de bêtises que vous voudrez, soyez bavards et enjoués. Il faut qu'on ait l'air surpris de rencontrer Martine et Mick-qui-pique.

— Mais Tagard risque de me reconnaître ! intervient Mick. Rappelle-toi : il m'a vu à la ferme...

— C'est vrai..., répond son frère, l'air pensif. Dans ce cas, il faut éviter qu'il aperçoive ton visage. Essaie de garder la tête tournée dans la direction opposée. Annie, Claude et moi, on marchera devant toi pour te cacher. C'est d'accord ? Et s'il te reconnaît, eh bien tant pis, ça ne changera pas grand-chose...

Tout le monde hoche la tête.

François jaillit le premier hors des buissons et se montre au grand jour, criant :

— Nous y revoilà ! Je vois la vieille maison ! Elle paraît plus sinistre que jamais !

Claude et Dago s'élancent à leur tour, puis Annie les suit, le cœur serré. Elle ne se sent pas vraiment de taille à jouer ce jeu. L'homme et la femme s'arrêtent brusquement en voyant surgir les enfants. Ils échangent quelques paroles rapides et Tagard leur lance un regard menaçant. Les randonneurs continuent à marcher, bavardant gaiement. La femme les interpelle :

— Qui êtes-vous ? Que faites-vous ici ?

— Week-end à la campagne, répond François avec un grand sourire. Il fait beau, non ?

— Pourquoi êtes-vous *ici* ? répète la femme. C'est une propriété privée.

— Mais non ! intervient Claude. On s'est renseignés, ce n'est qu'une vieille baraque en ruine. Tout le monde peut y venir. Et puis on ne fait rien de mal. On veut seulement explorer le lac... il a un aspect énigmatique et attirant, vous ne trouvez pas ?

Les deux complices échangent un regard surpris et contrarié à la fois.

— Vous ne pouvez pas explorer les Eaux-Dormantes, reprend Martine. C'est dangereux. La baignade et les promenades en bateau y sont interdites.

— On ne nous a pas dit ça, réplique Mick d'un ton naïf. Bien au contraire.

— On veut observer les poules d'eau, intervient brusquement François, qui vient de voir un oiseau passer sur le lac.

— Et on nous a dit qu'il y avait des daims dans les environs, ajoute Annie.

Ce bavardage intempestif paraît déplaire à Mick-qui-pique. Il l'interrompt brutalement.

— Assez de bêtises ! Vous n'avez pas le droit d'être ici. Alors, décampez !

Menaçant, il fait quelques pas en direction du petit groupe. Aussitôt, Dagobert s'avance en grondant, les poils hérissés, la queue droite. L'homme s'arrête net, puis recule.

— Retenez votre chien ! ordonne-t-il. Il a l'air sauvage.

— Je ne le retiendrai que si vous nous parlez sur un autre ton ! riposte Claude.

Dago avance toujours et ses grognements se font de plus en plus inquiétants. La femme intervient.

— Ne vous fâchez pas, dit-elle. Mon ami est un peu vif, mais il n'est pas méchant ; vous n'avez rien à craindre. Alors surveillez votre chien.

— Certainement pas tant que vous serez ici ! insiste Claude. Combien de temps allez-vous rester ?

— Écoute-moi bien, gamine..., commence Mick-qui-pique, mais il n'en dit pas davantage, car au son de sa voix Dago s'est mis à aboyer.

Pour éviter que la situation ne dégénère, François se tourne vers ses compagnons, il leur lance simplement, d'une voix claironnante :

— Si on allait déjeuner ! Moi, je commence à avoir faim !

La petite bande reprend aussitôt sa marche vers la maison. Dagobert, toujours sur la défensive, garde un œil sur le couple et gronde plus fort que jamais en arrivant à sa hauteur. D'un même mouvement, l'homme et la femme reculent. Dagobert est un très gros chien et son allure n'a rien de rassurant. Sans un mot, les enfants atteignent la villa calcinée et pénètrent dans les ruines. Martine et Mick-qui-pique n'ont cessé de les fixer de leurs regards courroucés.

— En garde, Dago ! crie Claude dès qu'elle est dans la cuisine, et le chien, comprenant l'ordre, se poste devant la porte, tandis que ses maîtres descendent l'escalier. Ils retrouvent la pièce dans l'état où ils l'ont laissée. Rien ne semble avoir été touché.

— Je me demande s'ils ont eu le temps de remarquer qu'on avait aménagé ces caves, dit François. J'espère qu'il reste beaucoup de pain, car c'est vrai que j'ai faim ! Décidément, cette

Martine et ce Mick sont aussi détestables l'un que l'autre...

— Moi, je trouve que le fils Tagard est pire, déclare Annie. Il me fait vraiment peur...

— Heureusement que Dago est là ! conclut Claude en découpant des tranches dans les restes du pain.

— Je me demande où ils sont allés, murmure Mick. J'ai bien envie de jeter un coup d'œil !

Il revient presque aussitôt.

— Ils ont dû se diriger vers le hangar à bateaux, dit-il. J'ai aperçu quelque chose qui remuait par là. Ils doivent chercher la *Belle-Berthe*...

— Il faut qu'on mette au point un plan d'action, décide François. C'est très important. Mick-qui-pique et Martine ont peut-être plus de renseignements que nous, et ils connaissent certainement le sens caché du message. En les observant de près, on glanera sûrement des indices.

— Exact ! fait Mick, mâchant consciencieusement son pain.

— Je crois que le mieux est de ne rien changer à nos projets pour cet après-midi, reprend son frère après un assez long silence. On va sortir ce radeau et s'en servir pour inspecter les berges. Il n'y a aucune raison pour que ça paraisse suspect et, en même temps, ça nous permettra de surveiller les environs.

— D'accord, dit Annie, et avec ce beau temps notre navigation sera très agréable. Pourvu que le radeau soit stable et solide...

— Mais oui, ne t'inquiète pas, l'interrompt Mick. Passe-moi les biscuits, Claude.

— Attends, je veux en donner un ou deux à Dago !

— Oh, non ! s'irrite le jeune garçon. C'est du gâchis, de si bons gâteaux pour un chien ! Il reste des fruits ?

— Oui, plein ! répond Annie. Et du chocolat aussi !

— Tant mieux ! intervient l'aîné des Cinq. Il faut que nos réserves nous permettent de tenir jusqu'au bout... Moi, je vais remplir la cruche d'eau.

Le repas fini, le Club au complet sort de sa retraite et se dirige vers le hangar à bateaux. Annie s'arrête tout à coup et, désignant un point sur le lac :

— Regardez ! s'écrie-t-elle. Ils ont sorti un des canots ! Le fils Tagard rame de toutes ses forces ! Je parie qu'ils cherchent la *Belle-Berthe* ?

Tous s'immobilisent et observent l'avance de la petite barque. Une inquiétude terrible s'empare de Mick. Martine et son complice vont-ils trouver avant eux le butin d'Hortillon ?

— Venez, dit François, il n'y a pas de temps à perdre. De toute façon, on les surveillera mieux quand on sera, nous aussi, sur le lac.

Les enfants se précipitent dans le hangar. La *Frétillante-Fanny* n'y est plus ! Le seul canot qui soit en état de naviguer... La manœuvre pour mettre à flot le radeau est longue et difficile. Malgré ses poignées de corde, son maniement n'est pas facile. Enfin, l'embarcation est portée au bord du quai, mise en équilibre sur la surface de l'eau noire, puis basculée doucement, dans un éclaboussement d'écume. À l'évidence, c'est un bon radeau : il tient bien l'eau et semble prêt à affronter le large.

— Prenez des pagaies, des rames, crie Claude à ses compagnons. Et embarquons vite !

CHAPITRE 16

Sur le radeau

Pendant que les enfants se munissent d'avirons, Dagobert, du haut du quai, observe gravement le radeau. Il ne s'attendait certainement pas à naviguer sur cette grande chose plate en équilibre sur l'eau. François y a déjà pris place. Il aide Annie à le rejoindre, tandis que Claude embarque d'un bond léger. Mick monte le dernier, ou plus exactement l'avant-dernier, car Dago se décide enfin à le suivre.

— Viens, Dag ! crie Claude. Ce n'est pas le genre de bateau dont tu as l'habitude, mais, tu verras, on y est très bien ! Dépêche-toi ! Saute !

Dagobert semble hésiter encore un instant, puis s'élance tellement brusquement que le radeau tangue violemment. Annie, déséquilibrée par la secousse, s'affaisse au milieu des rires.

— Oh ! Dag ! Du calme ! Ce radeau est tout juste assez grand pour nous cinq. Si tu le prends pour une piste de course, quelqu'un finira dans l'eau !

François et Mick poussent l'embarcation hors du hangar, heurtant alternativement les deux parois du quai.

— Il vaut mieux attendre d'être sur le lac pour commencer à pagayer, conseille Claude.

Dagobert, très intrigué par ce nouveau mode de locomotion, s'est posté à côté de François et semble fasciné par les vaguelettes. Ce n'est pas la première fois qu'il embarque sur un bateau, mais il n'a jamais vu l'eau si proche du bord. Il avance la patte, la plonge dans le courant et la retire aussitôt. Finalement, il s'allonge et demeure immobile.

Le radeau s'extrait enfin de l'étroit chenal conduisant au lac. Les enfants fouillent du regard la calme et vaste étendue des Eaux-Dormantes, anxieux de savoir si Martine et Mick-qui-pique s'y trouvent encore.

— Ils sont là ! souffle soudain François. En plein milieu de l'eau. Ils rament vite.

— Suivons-les ! s'écrie Claude, les yeux brillants. Et vite, sinon on les perdra de vue.

L'ordre est exécuté avec une telle vigueur que le radeau se met bientôt à tourner et virer de façon dangereuse.

— Stop ! hurle Mick. On manœuvre n'importe comment ! Il faut qu'on synchronise nos mouvements.

Après quelques essais malencontreux, les quatre navigateurs novices découvrent la meilleure façon de s'y prendre pour diriger leur embarcation et celle-ci file droit sur l'étang. C'est merveilleux. Il n'y a pas un souffle de vent et le soleil tape fort. Les enfants ont bientôt trop chaud.

— Hé ! fait soudain remarquer Annie, indiquant du doigt la *Frétillante-Fanny* immobilisée au centre de l'étang. Ils ne rament plus. On dirait qu'ils sont penchés sur quelque-chose, qu'ils examinent un objet...

De la distance où ils se trouvent, les enfants ne peuvent voir ce que scrutent Martine et Mick-qui-pique.

— Il faut qu'on se rapproche d'eux, décide François.

Un nouvel effort, bien rythmé cette fois, les conduit à proximité de la *Frétillante-Fanny*. Ses occupants sont toujours penchés l'un vers l'autre ; mais Dagobert, mécontent de les voir si proches, commence à aboyer. À ce bruit, tous

Pétillante
Fanny

deux relèvent précipitamment la tête, et aperçoivent le radeau. Une expression haineuse se peint aussitôt sur leurs visages.

— Salut ! leur crie François avec un large sourire. Quelle belle promenade ! Comme on est bien sur ce lac !

Martine devient rouge de colère.

— Vous n'avez pas le droit d'utiliser ce radeau sans permission, s'énerve-t-elle.

— Ah bon ! Et vous, vous avez demandé une autorisation pour vous servir de ce canot ? répond le jeune garçon.

Claude éclate de rire, Martine profère des injures et le fils Tagard feint de lancer ses rames en direction des enfants.

— Dégagez ! leur hurle-t-il.

— Pourquoi ? demande Mick. C'est pourtant sympa d'avoir un peu de compagnie pendant une si jolie promenade !

Sa cousine repart d'un nouvel éclat de rire, tandis que Martine et son complice échangent rapidement quelques phrases à voix basse. Les quatre jeunes aventuriers ne peuvent entendre les mots échangés, mais ils en comprennent le sens en voyant les mains de Mick-qui-pique s'abattre avec rage sur les poignées des avirons et la *Frétillante-Fanny* s'éloigner.

— Suivons-les ! s'écrie François. On va peut-être enfin apprendre quelque chose d'intéressant !

Mais la manœuvre des deux suspects n'est qu'une feinte. Mick Tagard conduit le canot vers la rive ouest. Le radeau le suit. L'homme ramène de nouveau son embarcation vers le centre. Il est bientôt rejoint par ses poursuivants, essoufflés et transpirant de l'effort fourni pour ne pas se laisser distancer.

— Alors ? crie la femme de sa voix éraillée et moqueuse. Un peu de sport doit vous faire du bien !

Mick peine à reprendre son souffle.

— Pff ! J'ai tellement mal aux bras que je ne peux plus les bouger ! Qu'est-ce qu'ils vont faire maintenant ?

— Je crois que leur seul but est de nous décourager, répond Annie. Ils renonceront à chercher la *Belle-Berthe* tant qu'on sera là...

— Alors, ça ne sert à rien de se fatiguer davantage ! s'écrie François, laissant retomber son aviron et s'allongeant sur le dos, les genoux redressés, respirant bruyamment.

Les autres l'imitent. Ils sont tous exténués. En guise de réconfort, Dagobert distribue à chacun un coup de langue amical, et va s'asseoir sur le ventre de sa maîtresse. Celle-ci le repousse si brusquement qu'il tombe presque dans l'eau.

— Dago ! vocifère Claude. Gros maladroit ! Va t'asseoir au milieu du bateau ! Et ne bouge plus !

Peiné par cette semonce, Dagobert va lécher le visage de la jeune fille, qui le laisse faire. François se redresse lentement.

— Oh ! Mon dos ! Mais où est parti ce canot ? Ah ! Le voilà tout au bout du lac, prêt à accoster devant la maison ! À moins qu'ils ne retournent au hangar ! Ils ont renoncé à la *Belle-Berthe* pour aujourd'hui, apparemment !

— On devrait peut-être en faire autant ? suggère Annie d'une voix timide.

— Je suis d'accord, déclare Mick. On n'a plus qu'à rentrer. De toute façon, il est trop tard pour se mettre à inspecter les berges du lac.

— Est-ce qu'on peut encore un peu souffler ? demande sa cousine.

Soudain, un corps lourd tombe dans l'eau, et rejaillit en gerbe. Claude se redresse d'un coup. Son chien n'est plus sur le radeau. Il nage, très satisfait de lui-même, semble-t-il !

— Hé ! Ça me donne une idée ! s'enthousiasme François. Si on mettait une corde au cou de Dago ! Il nous ramènerait à terre, sans qu'on ait besoin de ramer !

Claude s'apprête à s'opposer violemment à l'idée saugrenue de son cousin, lorsqu'elle remarque le sourire ironique qui retrousse le coin des lèvres de ce dernier.

— Arrête de me taquiner, ou c'est toi que je jette à l'eau.

— Chiche !

La jeune fille est incapable de laisser passer un pareil défi sans le relever. Elle bondit sur le jeune provocateur avec une telle fougue qu'elle manque le faire basculer par-dessus bord.

— Stop ! crie Annie. On va tous plonger, si vous continuez !

Claude lâche prise et sourit.

— Tu es prévenu, François ! Quand on me cherche, on me trouve !

— Allez, on rentre, décide Mick. Le soleil est déjà bas.

Les enfants aident Dagobert, ruisselant, à remonter sur le radeau, et se saisissent de leurs rames. La soirée est belle et sereine. Au crépuscule, le lac prend une couleur argentée. Deux poules d'eau suivent la petite embarcation en poussant de petits cris étonnés. Tout en pagayant, Annie admire ce décor et le ciel qui rosit au-dessus de la forêt. Puis son regard se fige, captivé par un détail aperçu sur la pente aride d'une petite colline au loin. Cela ressemble à une sorte de dolmen. La fillette l'indique du doigt.

— Regardez, dit-elle. Qu'est-ce que c'est que cette pierre ?

Tout le monde examine l'endroit indiqué.

— Ah ! oui, je vois ! s'exclame François. Mais je ne sais pas ce que c'est. Un monument peut-être ?

— Ou seulement une pierre très haute, complète Mick l'apercevant à son tour.

— Une pierre très haute..., répète Annie, à qui ces mots rappellent quelque chose.

La mémoire lui revient brusquement.

— Haute-Pierre ! C'est ce qui était écrit sur le papier que Mick a ramassé !

— Mais oui ! s'écrie Claude. Je n'y pensais plus !

Et elle examine avec un intérêt grandissant l'intrigante silhouette rocheuse. Mais presque aussitôt le radeau se met à dériver et un bouquet d'arbres vient cacher la pierre.

— Haute-Pierre, murmure François. Ce n'est peut-être qu'une coïncidence... mais ça mérite tout de même réflexion. Le butin est peut-être caché en dessous...

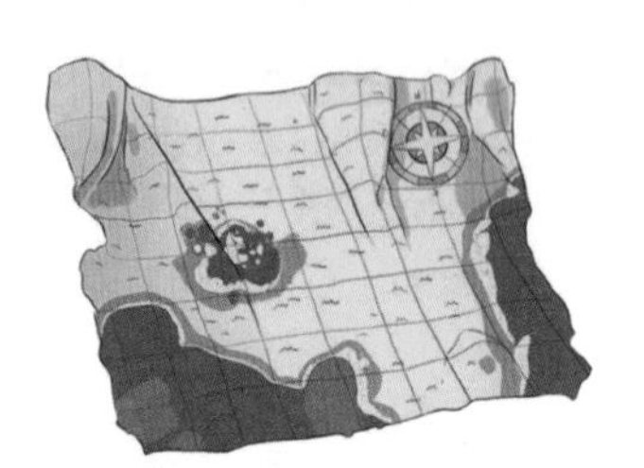

CHAPITRE 17

Du tac au tac

Les enfants regagnent le hangar à bateaux, sans apercevoir Martine ou le fils Tagard. Pourtant, leur canot, la *Frétillante-Fanny*, est revenu à sa place, amarré à quai auprès des deux autres.

— Ils sont bien rentrés, en conclut François. Mais je me demande où ils sont en ce moment.

Les jeunes randonneurs tentent de sortir leur embarcation de l'eau. Au bout de quelques minutes, Claude dit :

— Je n'ai plus assez de force dans les bras pour le soulever. Il suffit de l'attacher à un arbre. On le retrouvera demain.

Tous sont de son avis. Ils découvrent sans peine un abri sous des branches pendantes, où ils fixent solidement le radeau par une corde amarrée à une grosse racine émergeant de terre. Puis ils se dirigent vers la maison en ruine, inspectant les lieux au passage, dans l'espoir d'y découvrir Martine et son complice. Mais ils ne sont visibles ni l'un ni l'autre.

Dagobert entre le premier dans la cuisine. Comme il n'aboie pas, les enfants le suivent sans crainte. Le chien s'engage dans l'escalier du sous-sol, et presque aussitôt se met à gronder.

— Qu'est-ce qu'il y a ? l'interroge François. Ils sont en bas ?

Dagobert dévale les dernières marches et, toujours grognant, s'avance dans la cave. Les enfants hésitent à le suivre. Pourtant, sa voix n'est pas chargée de colère – comme elle l'aurait été si l'animal avait détecté la présence d'ennemis ou d'étrangers. Dagobert semble plutôt exprimer de la contrariété ou de la colère.

— Je comprends, intervient sa jeune maîtresse. Je pense que Martine et Mick-qui-pique ont découvert notre quartier général.

François allume sa lampe. Il n'y a personne dans la pièce. Les lits de fougères sont tels qu'ils ont été laissés. Rien ne semble avoir été touché.

— Il y a pourtant quelque chose qui ne va pas, insiste Claude. Dago continue à grogner. Ce n'est pas sans raison. Qu'est-ce qui se passe, Dag ?

— Regarde-le flairer tous les coins ! Les autres sont venus en notre absence, c'est certain.

Mick se précipite vers le placard : vide ! Il ne reste rien sur les planches, si ce n'est le peu de vaisselle qu'ils ont trouvée la veille.

— Les bandits ! Ils ont pillé toutes nos réserves. Ils n'ont même pas laissé un biscuit !

— Ils savent qu'on ne pourra pas rester longtemps ici sans nourriture, fait remarquer Annie. C'est une bonne façon de nous faire déguerpir !

Pendant les premières minutes qui suivent cette découverte, le Club des Cinq fait plutôt grise mine. Tous sont fatigués, et un bon repas les aurait remis d'aplomb. Mais ce soir, il n'y a rien à manger. Annie se laisse tomber sur son matelas de fougères et soupire.

— Si seulement j'avais laissé du chocolat dans mon sac... Et le pauvre Dag, il a faim, lui aussi ! Pas la peine de renifler le placard, Dag, il n'y a rien pour toi – ni pour personne. Le placard est vide !

— Je vais au moins aller chercher de l'eau là-haut, dit François d'un ton las.

Le garçon monte rapidement l'escalier, suivi du chien, et commence à actionner la vieille pompe. Soudain, à travers une brèche dans le mur en ruine, il aperçoit une masse bleue dans la forêt. Il sort de la villa et, après avoir avancé de quelques pas, distingue deux petites tentes dressées sous un bouquet d'arbres. Il comprend instantanément que Martine et son complice ont prévu de coucher sur place. François décide de s'approcher de ce campement, en faisant signe à Dagobert de le suivre. Arrivé à proximité des tentes, il se rend compte que celles-ci sont grandes ouvertes, et vides. Devant l'entrée de la plus grande sont installés un réchaud et une bouilloire. À l'intérieur, des couvertures sont étendues au sol. Contre la toile du fond, on aperçoit un gros paquet recouvert d'un linge. François se précipite vers la cave pour raconter à ses compagnons ce qu'il a découvert.

— Ils ont des tentes ! déclare-t-il en rejoignant ses amis. Ils resteront certainement ici aussi longtemps qu'il leur faudra pour mettre leur projet à exécution.

— Où est Dagobert ? demande Claude, inquiète de ne pas voir revenir son chien. Tu n'aurais pas dû le laisser tout seul. Qui sait ce que ces bandits peuvent lui faire !

— Le voici ! la rassure François, entendant le bruit familier des quatre pattes du chien dévalant l'escalier.

Dagobert surgit et se jette aussitôt sur sa jeune maîtresse.

— Mais on dirait qu'il a quelque chose dans la gueule ! s'étonne celle-ci. C'est un pâté !

François éclate de rire.

— C'est bien fait pour Martine et Mick-qui-pique ! s'esclaffe-il. Il a dû se servir dans l'une des tentes ! Bravo, Dag ! Voilà ce qui s'appelle répondre du tac au tac.

Tout à coup, d'un bond, le chien remonte l'escalier du souterrain. Son absence ne dure que quelques minutes. Quand il revient, il porte un long paquet recouvert de papier. C'est un cake, un très gros cake.

— Oh ! Dag ! s'attendrit sa jeune maîtresse. Tu es un chien merveilleux !

Dagobert, très sensible au compliment, redisparaît aussitôt. De cette nouvelle expédition, il rapporte une boîte de carton contenant des biscuits et des madeleines. Puis, lors d'une nouvelle sortie, un petit paquet enveloppé de papier blanc : du jambon ! Personne ne comprend comment il a pu résister à l'envie de l'avaler en route.

— À sa place, je n'aurais pas pu, affirme Mick, admiratif.

Pour son dernier voyage, le chien n'est plus chargé que d'un pain. Peut-être a-t-il épuisé les réserves de l'ennemi ! Son arrivée est saluée avec enthousiasme.

— Dag, tu es tellement intelligent ! On a tout ce qu'il nous faut ! Et tu vas avoir un magnifique dîner. Couche-toi et sois sage pendant que je te sers.

Dagobert ne demande pas mieux. Il dévore tout ce qu'on lui offre : pâté, jambon, biscuit et cake, mais au moment où Claude lui tend un bol d'eau, il bondit sur ses pattes et escalade l'escalier. Arrivé dehors, il se met à aboyer furieusement. Les enfants s'élancent à sa suite. Sous les arbres, à bonne distance, ils voient Mick Tagard.

— C'est vous qui avez pris toutes nos affaires ? s'égosille celui-ci en les apercevant.

— Oui ! Comme vous avez pris les nôtres, riposte François.

— Comment avez-vous osé entrer dans nos tentes ? rage l'homme, en secouant sa chevelure hirsute, ce qui lui donne un air peu rassurant dans le crépuscule.

— On n'y est pas entrés, affirme le jeune garçon. C'est le chien qui s'est chargé du choix et du transport. D'ailleurs, il veillera sur nous toute la nuit. Et faites attention : il est très féroce !

— Grrrr, fait Dag si farouchement que, malgré la distance, l'homme recule de quelques pas. Puis il s'en va, sans ajouter un mot.

Les enfants retournent achever leur copieux dîner. Le chien reste planté au haut de l'escalier.

— C'est exactement à cet endroit que tu passeras la nuit, Dago ! déclare Mick. Il vaut mieux se protéger contre ce couple.

En acquiesçant à ces paroles, Annie ressent un léger frisson.

— On dirait que notre petite randonnée s'est transformée en véritable aventure ! Mais il ne faut pas oublier qu'on n'a pas beaucoup de temps : on doit être de retour au collège lundi, à deux heures de l'après-midi.

— Il faut percer le mystère avant ! déclare sa cousine d'une voix solennelle. Il le faut absolument. Montre-nous encore ce plan, François. Je voudrais être sûre que Haute-Pierre y est bien indiqué.

L'aîné du Club des Cinq étale le plan sur la table, entre les bougies que Mick a allumées. Quatre têtes réfléchies s'inclinent de nouveau sur les énigmatiques traits de crayon.

— Haute-Pierre est inscrit là, dit François. À l'autre bout du même trait, on peut lire : *Ti-Bol*. Qu'est-ce que ça veut dire, Ti-Bol ?

— On devrait peut-être regarder si ça correspond à un nom de lieu ? hasarde Claude.

La carte est, à son tour, déployée sur la table et les enfants la scrutent avidement. Dans le silence absolu de la cave, la voix d'Annie éclate soudain, joyeuse comme un cri de triomphe.

— Là ! Là ! s'écrie-t-elle, et son index s'écrase sur la carte. *Mont-Ti-Bol*, c'est écrit à droite du lac, c'est-à-dire sur le côté opposé à celui où on a vu la pierre ! Ti-Bol d'un côté, Haute-Pierre de l'autre, ça veut certainement dire quelque chose.

— Tu as raison, approuve Mick. Ces noms sont des indications qui ont un rapport avec la position du butin. Or, il y a quatre noms : Haute-Pierre et Ti-Bol, cheminée et clocher.

— Hé ! l'interrompt brusquement Claude. Je crois que j'ai compris ! Je vais vous expliquer ; c'est facile comme tout !

CHAPITRE 18

Proches du but

— Écoutez bien, commence Claude. On a aperçu Haute-Pierre depuis le lac. Ti-Bol, nous dit la carte, est un sommet arrondi que l'on doit, lui aussi, distinguer depuis les Eaux-Dormantes. On n'a pas encore vu le clocher et la cheminée mentionnés sur le papier, mais à l'évidence, ce sont, là encore, des repères situés assez haut pour être visibles de loin. Sur la feuille, ces quatre mots sont reliés par des traits qui se rejoignent en un point central, ici, au beau milieu du lac. Ce doit donc être là que se trouve ce que cherchent Martine et Mick-qui-pique : la *Belle-Berthe* et le trésor !

Son exposé est suivi d'un silence méditatif. Puis François attrape sa cousine par l'épaule et la secoue avec chaleur.

— Bravo ! s'écrie-t-il. Je crois que tu as deviné juste ! Il n'y a plus qu'à retourner au lac, et naviguer jusqu'à ce que nous nous trouvions au point d'où l'on peut voir en même temps les quatre repères !

— Oui, acquiesce Mick. Mais n'oublions pas que Mick-qui-pique et Martine ont connaissance, eux aussi, de toutes ces indications. Ils cherchent le même endroit que nous. Et, s'ils mettent la main sur le butin, on ne pourra rien faire pour les en empêcher. Ils l'emporteront et disparaîtront à tout jamais...

Cette dernière considération ne fait qu'accroître l'excitation générale.

— Alors il n'y a qu'une solution, conclut François. Il faut qu'on soit les premiers à partir demain, c'est-à-dire embarquer dès que le jour se lèvera. C'est dommage qu'on n'ait même pas un réveil !

— On reprendra le radeau, poursuit Mick. Ce sera vite fait puisqu'on n'aura pas à le sortir du hangar. Pour l'instant, il s'agit surtout de se coucher et de s'endormir en vitesse.

Claude installe Dagobert sur un de ses pull-overs, en haut de l'escalier. Le chien semble

avoir compris la nécessité de passer cette nuit loin de sa maîtresse, pour veiller à la sécurité de ses compagnons. Il ne dort que d'un œil. Au milieu de la nuit, un bruit de pas furtif dans la cuisine attire son attention. Mais ce n'est qu'un renard. Dago pousse un léger grognement et la bête s'enfuit. Il n'y a pas d'autre alerte. Les enfants dorment paisiblement.

Le chien est réveillé par les premières lueurs du petit matin. Il fait un tour dehors puis descend dans le souterrain. Sa queue, au passage, frôle la joue de François, qui se redresse d'un bond. Il regarde immédiatement sa montre.

— Sept heures déjà ! s'exclame-t-il. Réveillez-vous.

Les autres se lèvent en vitesse. Ils savent que cette journée est importante. Ils enfilent leurs maillots de bain sous leurs vêtements, et avalent leur petit déjeuner en un quart d'heure. La bande émerge des ruines alors que l'aube commence tout juste à éclairer les Deux-Chênes. Mais avant de quitter le souterrain, Annie a pris soin de ranger toutes les provisions dans le petit placard et de fermer celui-ci à double tour. Elle glisse la clef dans sa poche. « Comme ça, même si ces deux bandits reviennent, ils ne nous voleront rien », pense-t-elle. Rien ne remue du côté des tentes.

— Parfait ! chuchote Annie. On sera les premiers ! Peut-être qu'on n'aura même pas à les croiser sur le lac.

Ils détachent le radeau, embarquent, et se mettent à pagayer vigoureusement. Leurs muscles sont endoloris par les efforts fournis la veille, mais l'air froid stimule les quatre jeunes explorateurs. Quand le radeau atteint le centre du lac, personne ne pense plus à sa fatigue. Il fait jour, et le soleil de novembre illumine les sommets les plus élevés. Les enfants dirigent leur embarcation vers le point où, la veille, ils ont aperçu la Haute-Pierre. Il leur faut errer longtemps sur le lac avant que Mick, enfin, pousse un cri de triomphe.

— La voilà ! C'est ce rideau d'arbres sur la berge qui nous la cachait.

— Bon, il ne faut plus la perdre de vue, déclare Claude. Moi, je vais garder l'œil dessus. Vous autres, scrutez bien l'horizon pour apercevoir Ti-Bol. Faites tourner le radeau si besoin. Si Haute-Pierre disparaît de mon champ de vision, je vous avertirai.

— Compris, fait Mick, enfonçant prudemment sa pagaie dans l'eau.

Annie s'est placée sur le bord de l'embarcation et fixe attentivement le paysage qui s'étend devant elle.

— Je l'ai ! crie-t-elle tout à coup. Ce sommet arrondi qu'on voit à peine dans le lointain, derrière ces deux collines. Il doit bien être à dix kilomètres, comme l'indiquait la carte !

— Ce ne peut être que lui, approuve François, cessant un instant de ramer pour observer le dôme lointain. Maintenant, on doit trouver un clocher. Selon le papier, il doit se situer vers le sud.

Quelques secondes plus tard, Mick annonce :

— Je le vois déjà. Il est là !

Tous les regards convergent vers le point qu'il désigne : le fin clocher d'un village invisible brille au soleil levant, comme une aiguille d'acier au-dessus des masses rousses d'une forêt.

— Bravo ! s'enthousiasme sa cousine. Reste la cheminée ! Quelqu'un l'a aperçue ?

— Mais oui ! affirme Annie. C'est celle de la villa des Deux-Chênes ! Regardez ! Vous la voyez ?

Mais le radeau dérive lentement. Mick enfonce sa rame pour le ramener vers la gauche. Enfin sa sœur retrouve la cheminée, mais Claude a perdu le mont Ti-Bol. Il faut de longs tâtonnements avant de stopper le radeau à l'endroit précis d'où chacun des quatre repères est visible.

C'est alors que François sort de sa poche un gros couteau et une lampe électrique. Il les attache ensemble avec une corde. Puis il précipite les deux objets dans l'eau tout en tenant la ficelle, qu'il laisse filer. Quand elle s'arrête, le garçon comprend que le canif et la torche ont atteint le fond du lac. Enfin, il fouille ses poches et y déniche un bouchon en liège qu'il avait trouvé dans la cuisine de la villa. Il le fixe soigneusement à l'extrémité de la ficelle qu'il tient en main, puis le lâche. Celui-ci s'enfonce dans l'eau, puis remonte à la surface juste au-dessus du point où se sont immobilisés le couteau et la lampe.

— J'ai compris ! commente Claude. Tu as marqué le point d'où l'on aperçoit les quatre repères ! Excellente idée !

François affiche un sourire satisfait.

— On a fait une expérience similaire en cours de science physique la semaine dernière... Je ne pensais pas que ça me servirait dès le week-end suivant !

Les quatre paires d'yeux des explorateurs fixent à présent le petit bouchon qui flotte tranquillement sur l'eau calme du lac.

— J'ai quand même peur qu'on ne le retrouve pas si on s'éloigne trop..., remarque Annie. Il est vraiment très petit.

— Je sais bien, mais je n'avais rien d'autre sous la main.

— Attends ! intervient sa cousine. J'ai ce qu'il faut !

Elle sort de sa poche une balle de caoutchouc et la pose doucement sur la surface du lac.

— C'est le jouet de Dago ! Et regardez : ça flotte !

— Oui ! admet Mick. Mais comment faire pour l'attacher ?

Pendant un instant les quatre enfants regardent perplexes l'objet rond.

— J'ai une idée ! dit Annie. On pourrait utiliser mon foulard pour nouer la balle et le bouchon.

Elle retire la petite étoffe qu'elle porte autour du cou.

— Attends ! l'interrompt François. Avant de sacrifier ton écharpe, il faut qu'on s'assure que l'endroit où on se trouve est vraiment celui où se cache le butin !

Cette phrase provoque un immédiat changement de direction des regards. Toutes les têtes s'abaissent vers la surface du lac. On ne discerne rien au-dessous de l'eau noire.

— Il faut regarder de plus près, souffle Claude.

Elle se couche à plat ventre. Ses compagnons l'imitent avec tant de rapidité que le radeau vacille. La surface de l'eau se ride et il faut attendre que le calme revienne pour découvrir ce qui se cache dans ses profondeurs. Soudain, la forme blanchâtre d'un canot immobilisé au fond du lac apparaît, à peine déformée par les petites ondes en surface. Les enfants n'en croient pas leurs yeux.

— La *Belle-Berthe* ! murmure Annie, émue.

— C'est encore plus astucieux que ce qu'on avait imaginé, commente François. Hortillon a dû faire couler le bateau après y avoir caché le trésor. Et il a communiqué son emplacement à Martine et Mick-qui-pique en leur indiquant les quatre repères...

— Mais, l'interrompt Mick, on ne va jamais réussir à faire remonter la *Belle-Berthe* !

À ce moment Dagobert se met à gronder sourdement. Les jeunes aventuriers tournent la tête et voient un canot encore loin sur le lac. Martine et Mick-qui-pique y sont assis face à face, penchés sur quelque chose de blanc – le plan évidemment. Parfois leurs regards s'en détournent pour fouiller l'horizon. Ils sont tellement occupés à chercher le clocher, la pierre, la cheminée et le mont Ti-bol qu'ils ne remarquent pas la présence du Club des Cinq.

— Les voilà ! souffle Annie. Je sens qu'on va avoir des ennuis...

CHAPITRE 19

Martine a des ennuis

La *Frétillante-Fanny* tourne et vire sous la conduite de Martine et de Mick-qui-pique. Le canot approche de plus en plus. Martine fait sans arrêt pivoter sa tête, s'efforçant de garder dans son champ visuel deux ou trois repères en même temps. Mick Tagard ne semble guère l'aider ; penché vers l'avant, il se contente de ramer mollement, suivant sans doute les ordres que lui donne sa compagne. Dans le silence matinal, que ne trouble de temps en temps qu'un chant d'oiseau, on entend parfois ses instructions : « Plus à droite... Un peu à gauche. » Puis, tout à coup, la *Frétillante-Fanny* met le cap droit sur le radeau. Martine, qui tourne le dos à ce dernier, ne peut le voir, mais son complice lui dit quelques mots à voix étouffée. La femme se retourne brusquement.

Une expression de colère se peint sur son visage lorsqu'elle aperçoit l'embarcation des enfants si proche et occupant précisément l'emplacement où elle souhaite conduire sa barque. Elle murmure quelques mots à son compagnon, et celui-ci lui répond d'une inclination de tête pleine de menace. Le canot avance toujours. La voix de Martine s'élève de nouveau, distincte cette fois.

— Je le vois presque, déclare-t-elle. Avance encore un peu.

— C'est Ti-Bol qui leur manquait, chuchote Annie. Maintenant ils le tiennent. Ils ont tous les repères. Mais s'ils continuent à cette allure, ils vont défoncer notre radeau...

À cet instant, un choc violent se produit. Mick Tagard a volontairement heurté le radeau du Club des Cinq avec une telle brutalité que Claude serait tombée à l'eau si François ne l'avait retenue.

— Vous ne pouvez pas faire attention ? vocifère le jeune garçon. Un peu plus, et vous nous faisiez chavirer ! Il y a de la place pourtant !

— Écartez-vous ! rétorque Martine d'une voix brutale, à laquelle Dago répond aussitôt par une série d'aboiements sauvages.

La Frétillante-Fanny recule.

— On ne vous dérange pas, que je sache ! s'énerve Mick. On ne fait rien de mal ! Laissez-nous tranquilles !

— Nous vous dénoncerons à la police ! hurle la femme, rouge de colère. Vous utilisez ce radeau sans autorisation, vous prenez possession d'une maison sans aucun droit et vous nous volez nos provisions ! C'est une honte !

— Si vous continuez à raconter des bêtises, je lâche mon chien ! riposte Claude. Il ne demande qu'à sauter dans votre barque !

— Grrrr ! gronde Dagobert, découvrant deux rangées de crocs étincelants.

Mick-qui-pique a un sursaut et, d'un coup d'aviron, fait encore reculer son embarcation.

— Écoutez, les enfants, reprend la complice de Tagard d'une voix qu'elle s'efforce de rendre apaisante. On est venus ici passer un week-end tranquille. Alors allez jouer plus loin... C'est d'accord ? Ne nous dérangez pas et on ne dira rien à la police... même pas au sujet du vol de nos provisions...

— On ira où il nous plaît et on restera ici si on en a envie, répond François.

Un silence suit sa phrase, puis Martine murmure quelques mots à l'oreille de Mick-qui-pique.

— Quand retournez-vous au collège ? demande la femme, se tournant une fois de plus vers les enfants.

— Vous serez débarrassés de nous dès demain ! déclare Claude. Mais, d'ici là, on est en vacances et on a le droit de faire ce qu'on veut !

Il y a encore quelques phrases chuchotées entre l'homme et la femme, puis tous deux se penchent, scrutant la profondeur du lac. Quand ils se redressent, leurs regards se croisent et il semblent brièvement briller de satisfaction. Mick-qui-pique reprend les avirons et la *Frétillante-Fanny*, virant sur elle-même, s'éloigne du radeau.

— C'est très clair, en déduit Claude d'une voix joyeuse, lorsque l'ennemi est assez loin pour ne pouvoir entendre ses paroles. Ils pensent qu'on sera partis demain et qu'ils auront toute la tranquillité nécessaire pour venir ensuite ramasser le butin. Ils ont distingué la *Belle-Berthe* au fond de l'eau et ça leur suffit. Heureusement, je ne crois pas qu'ils aient vu le bouchon et la ficelle ! On l'a échappé belle !

— Je ne comprends pas pourquoi tu as l'air si contente, s'étonne Annie. Tu sais bien qu'on ne peut pas remonter le bateau à la surface sans qu'ils le voient. Et, eux, ils auront toute liberté de le faire après notre départ et ainsi d'empocher le trésor.

— C’est vrai, renchérit Mick. Comment remettre la *Belle-Berthe* à flot ? Le radeau n’est pas assez stable pour la hisser.

— Pourquoi renflouer la *Belle-Berthe* ? demande Claude avec un sourire en coin. Ce n’est pas elle qui nous intéresse !

— Qu’est-ce que tu veux dire ?

— Eh bien, il suffit que l’un de nous pique une tête dans le lac et fouille l’épave. Si on trouve un sac, un coffre ou une valise, on attache une corde et on le remonte.

— Mais ça peut être très dangereux ! s’écrie sa cousine. Le lac est assez profond !

— Peut-être ! Mais je suis certaine que c’est la seule solution, reprend la jeune fille.

En disant ces mots, elle se met en maillot de bain avec des gestes décidés.

— Je vais m’en charger moi-même. Je vais procéder en deux étapes. D’abord, je ferai une simple plongée de reconnaissance.

François enfonce son bras dans l’eau jusqu’au coude et le ressort en frissonnant.

— Brr, dit-il. Que c’est froid !

Claude est déjà prête et, sans prendre le temps de réfléchir à ce qui l’attend, elle se jette dans le lac. Les autres se penchent sur le bord du radeau pour suivre ses mouvements : ils la voient tourner autour de la *Belle-Berthe*, tête en bas, les mains cramponnées à la rambarde. Cela dure si longtemps que l'aîné des Cinq s'inquiète :

— Elle ne peut pas rester si longtemps sans respirer. Elle va suffoquer !

— Tu sais, Claude se débrouille très bien, lui explique Annie. Depuis le début de l'année scolaire, elle suit des cours de perfectionnement en natation à l'internat. Elle apprend à nager en apnée et à plonger très profond.

À cet instant, Claude remonte enfin et tous l'aident à se hisser sur le radeau. Elle halète bruyamment et les autres attendent qu'elle ait repris son souffle pour l'interroger. Ils ont hâte de savoir si elle a trouvé le trésor.

— Il est là ! lance la jeune fille entre deux aspirations.

Plusieurs minutes s'écoulent encore avant qu'elle puisse s'expliquer davantage.

— J'ai atteint le bateau du premier coup ! Il est aux trois quarts pourri, mais sous le banc, il y a un paquet... je l'ai tâté. Il est gros, et m'a l'air très lourd ; je n'ai pas pu le bouger. Il est enveloppé d'une toile imperméable. C'est sûrement le butin de Hortillon !

— Tu penses réussir à le remonter ?

— Je vais essayer ! Peut-être qu'il est seulement coincé sous le banc...

— Le colis a certainement été chargé de pierres pour le caler au fond, intervient François.

Claude grelotte malgré les soins de Mick, qui la frictionne vigoureusement avec son propre pull. Son regard se pose tour à tour sur tous les bouts de corde visibles sur le radeau. La plupart sont pourris. Ceux qui paraissent en bon état n'auraient pas une longueur suffisante pour atteindre le fond du lac. La jeune fille fait une moue, puis cherche des yeux la *Frétillante-Fanny*. Elle a été tirée sur la berge. Les enfants distinguent Tagard assis dans l'herbe, et Martine, debout, maniant à hauteur de ses yeux un objet qui brille dans le soleil. Mick fronce les sourcils.

— Qu'est-ce que c'est, à votre avis ? demande-t-il. Moi, je parie qu'ils ont des jumelles et qu'ils s'en servent pour nous surveiller. Ça a dû les inquiéter de te voir plonger dans le lac, juste au-dessus de la *Belle-Berthe* !

— On ne peut rien faire tant qu'ils sont là à nous guetter, ajoute François. Ils nous verront remonter le paquet et nous attendront pour nous le reprendre à l'arrivée !

Claude se rhabille.

— De toute façon, déclare-t-elle, on ne peut pas le repêcher maintenant. On n'a pas assez de corde. Il faut retourner au hangar en chercher !

— Mais même si on revient cet après-midi, Martine et Mick-qui-pique recommenceront à nous épier, fait remarquer Annie.

— Ah oui ? Et que veux-tu qu'ils voient pendant la nuit ? rétorque Claude

— La nuit ! se récrie sa cousine. Mais c'est bien trop risqué !

— Excellente idée ! coupe François. Ils seront certainement couchés, et il y aura assez de lune pour nous éclairer.

— Génial ! approuve Mick. Maintenant, éloignons-nous vite pour ne pas augmenter leurs soupçons !

— On aura tout l'après-midi pour préparer notre expédition nocturne ! ajoute sa cousine, débordant d'enthousiasme.

— Bon, se résigne Annie. Eh bien, attachons vite la balle, parce qu'on ne retrouvera jamais le bouchon en pleine nuit. Et puis, en route. Sinon Claude va commencer à geler !

La jeune plongeuse se saisit du foulard que lui tend sa cousine et accroche le jouet au dispositif imaginé par François. Puis le radeau s'éloigne en silence.

Dès que Martine et Mick-qui-pique voient que le radeau s'en retourne en direction des ruines, ils quittent leur poste d'observation et regagnent les tentes.

— Ils doivent se sentir bien soulagés ! commente François en riant. Ils croient qu'on n'a rien vu !

— Tant mieux ! ajoute son frère, enthousiasmé par l'heureuse tournure que semblent prendre les événements.

Annie, de son côté, ne songe qu'aux difficultés qui les attendent encore.

— S'il y a des nuages ce soir, précise-t-elle, la

lune sera cachée. On ne pourra voir ni Ti-Bol, ni Haute-Pierre, ni le clocher...

— Arrête de toujours imaginer le pire, l'interrompt Claude. Regarde plutôt le ciel. Tu vois bien qu'il fait beau. On y verra clair ce soir, ne t'inquiète pas. D'ailleurs, l'important c'est de retrouver la balle et le bouchon et, pour cela, nos lampes électriques peuvent suffire.

Quand ils ont atteint l'entrée du chenal, ils attachent le radeau au même endroit que la veille, puis se dirigent vers les ruines. Dagobert les suit sagement et ne recommence à gronder qu'en descendant l'escalier de la cave.

— Je parie que Martine et son complice sont encore venus rôder par ici, dit Claude, observant son chien. À tous les coups, ils ont cherché à récupérer leurs victuailles !

— Heureusement que j'avais pensé à enfermer toutes les provisions dans le placard, et que j'avais emporté la clef, intervient Annie, l'air très fier.

Elle revient un instant plus tard, les bras chargés de vivres. Ses compagnons la félicitent pour sa présence d'esprit.

— Sans toi, on se serait fait avoir de la même manière deux fois de suite ! ajoute Mick.

Tous sont d'accord pour aller s'installer au soleil pour déjeuner. Le repas leur paraît excel-

lent et la position à demi allongée sur l'herbe des plus reposantes. Ils prennent donc leur temps et sont tout surpris d'entendre François s'écrier soudain :

— Hé ! Il est déjà trois heures moins le quart ! Dans deux heures il fera nuit !

— Vous pensez qu'on devrait partir à quelle heure ? demande Claude.

— Un peu avant minuit, déclare l'aîné des Cinq. Nos deux ennemis seront forcément couchés.

— Oh..., gémit Annie. Que c'est tard...

Son frère aîné lui passe le bras autour des épaules.

— Courage, sœurette ! Tu sais bien que ce sera passionnant et tu ne voudrais pas qu'on y aille sans toi...

— Non, certainement pas. Mais je n'aime pas Martine ni Mick Tagard.

— Nous non plus ! répond François gaiement. Et c'est bien pourquoi on doit les battre sur leur propre terrain. Hé ! Claude, c'est ton tour d'aller voir ce qui se passe du côté des tentes. Il y a bien longtemps qu'ils se tiennent tranquilles, ces deux bandits.

Claude court jusqu'au bouquet d'arbres d'où elle peut mieux observer, sans être remarquée, le camp ennemi.

— Je suis arrivée juste à temps pour les voir partir, explique-t-elle quelques minutes plus tard en rejoignant ses cousins. Ils ont pris le chemin qui s'enfonce dans la lande.

— Bon, tant qu'ils sont à pied, on ne risque rien. Mais ne perdons pas de vue leur canot, dit Mick.

Ils vont au hangar à bateaux et trouvent facilement une corde longue et solide dont Claude, après examen attentif, renforce une partie un peu usée.

— J'ai l'impression d'avoir de plus en plus froid, confie-t-elle à ses compagnons quand elle a fini ce travail. Cette baignade m'a littéralement glacée. Je frissonne en pensant qu'il faudra prendre un autre bain cette nuit.

— Cette nuit, ce sera mon tour, promet son cousin.

— On verra. Moi, je sais exactement où se trouve le sac...

— Bon, intervient François. Puisqu'on n'a rien à faire avant la nuit, on pourrait peut-être trouver un moyen de se réchauffer. Je propose de faire un tournoi de sprint !

Le jeu, aussitôt accepté, dure jusqu'au moment où le soleil disparaît derrière les collines. Puis des nuages montent au ciel et l'obscurité se fait rapidement.

— Vous voyez qu'il y a des nuages..., murmure Annie.

Martine et son complice regagnent leur camp et l'on voit les faisceaux lumineux de leurs lampes balayer les toits et les murs de toile.

— Tout va bien ! constate Mick. Rentrons nous reposer.

— Moi je ne pourrai jamais dormir, affirme sa sœur, de plus en plus inquiète à mesure que l'heure avance.

— Tant mieux, tu nous réveilleras ! répond Claude.

— D'accord, souffle Annie, plus émue qu'elle ne veut le paraître.

Bien pelotonnée sous sa couverture, elle se rassure en se remémorant toutes les aventures qu'elle a traversées avec ses frères, sa cousine et Dago : même dans les situations les plus critiques, le Club des Cinq a toujours réussi à se tirer d'affaire. Mais cette fois, il s'agit tout de même de plonger au fond d'un lac en pleine nuit... Et qui sait ce que Martine et Mick-qui-pique feront s'ils s'aperçoivent que leur butin a disparu ?

« Les aventures, il vaut mieux les lire dans les livres que de les vivre pour de bon ! » conclut la fillette en se retournant sur son matelas de fougères.

Elle réveille les autres à onze heures moins dix. Ils dorment profondément et Annie a du mal à les arracher à leur sommeil. Mais, sitôt éveillés, ils sont tous debout, s'agitant et parlant à voix basse :

— Il faut prendre la corde !

— Et des serviettes de toilette pour se sécher en sortant de l'eau. Le lac sera glacial !

— Surtout, pas de bruit en quittant la maison !

— Et éteignons les lampes dès qu'on sera sortis de la cave.

Dagobert, qui a veillé solitairement dans la cuisine comme la nuit précédente, est redescendu dans le souterrain en entendant les enfants s'agiter. Il semble avoir bien compris l'enjeu, et suit ses maîtres en silence. La lune, dans le ciel étoilé, forme un large croissant ventru. Elle éclaire suffisamment le paysage pour permettre aux jeunes aventuriers de s'y diriger. Toutefois, quelques petits nuages viennent la voiler par instants, et l'obscurité est alors presque absolue. Mais cela ne dure qu'une ou deux minutes, puis l'astre reparaît, étincelant dans la nuit.

— Je me demande ce que font *les autres*, souffle Annie derrière le dos de son frère aîné.

— Ils dorment, répond François après un coup d'œil jeté vers les tentes. Mais il vaut mieux

prendre un maximum de précautions. Longeons les murs pour rester dans l'ombre des ruines et faufilons-nous au plus près des arbres. Claude, retiens Dagobert près de toi. En route !

La petite bande se faufile prudemment et, évitant les passages éclairés, gagne la berge du lac. Celui-ci luit tel un miroir immobile et la lune s'y reflète comme une estampe chinoise. C'est très beau... mais, aussi, très impressionnant. Le silence absolu de l'eau et des branches crée une atmosphère de mystère plus profonde encore que les trous d'ombre sous les arbres.

Les jeunes explorateurs montent sur le radeau et s'éloignent sans troubler le calme de la nuit. Dagobert, seul, semble indifférent à cette ambiance. Il a toujours aimé les promenades nocturnes. Son insouciance même est un réconfort pour les enfants. Chacun d'eux pagaie en silence, les yeux fixés sur les vaguelettes que dessinent leurs mouvements et que la lune frange d'argent.

— Ce silence..., murmure Annie. C'est oppressant.

Mais à ce même moment, comme pour lui répondre, une chouette hulule. La fillette sursaute brusquement. Claude se met à rire. Puis elle commence à inspecter la surface du lac.

— Vous ne croyez pas qu'il serait temps de chercher les repères ?

— Non, répond Mick. On est encore trop loin. Il faut continuer à ramer...

Le silence retombe et pendant de longues minutes encore le radeau glisse sans bruit, comme dans un rêve, sur l'étendue noire des Eaux-Dormantes. Annie est la première à apercevoir la Haute-Pierre. Puis, c'est au mont Ti-Bol de se montrer.

— Et voici le clocher, annonce sa cousine peu après. Regardez comme il brille dans le clair de lune !

— C'est vrai, reconnaît François. Les repères sont presque plus visibles qu'en plein jour. Ah ! Je vois la cheminée ! Ça y est, on tient les quatre repères ! La balle et le bouchon ne doivent pas être loin.

— Voilà la balle, annonce Claude aussitôt, montrant du doigt une tache claire qui flotte à la surface de l'eau. Et maintenant, il faut plonger.

La jeune fille confie sa pagaie à Annie.

— J'y vais ! déclare-t-elle, en retirant son pull-over.

— D'accord, mais pas toute seule ! Je viens avec toi ! ajoute Mick.

Les plongeons des deux cousins se succèdent à très peu d'intervalle, faisant dériver et osciller le radeau. Dagobert, surpris par cette secousse, manque de tomber à l'eau. Annie s'est accroupie sur le tas de vêtements. François, au moyen de sa rame, rectifie la position du bateau.

Claude a plongé la première. Elle ouvre les yeux sous l'eau et aperçoit l'épave du canot juste sous elle. En deux puissantes brasses, elle l'atteint et, en tâtonnant, retrouve le sac imperméable. D'un brusque effort, elle tire l'objet vers elle. Mick la rejoint à ce moment, la corde à la main. Ils commencent à attacher le sac, quand le jeune garçon fait signe qu'il ne tient plus.

Moins entraîné que sa cousine, il ne peut rester aussi longtemps qu'elle sous l'eau et bientôt sa tête émerge tout près du radeau, soufflant et crachant. Claude l'imite quelques secondes plus tard, et le silence de la nuit est brisé par les halètements pénibles des deux plongeurs cherchant à retrouver leur souffle.

François et Annie les regardent assez impressionnés, mais sans parler. Ils savent qu'ils ne peuvent rien faire pour les soulager. Au bout d'un long moment, Mick s'efforce d'esquisser un sourire à leur adresse :

— Tout va bien, souffle-t-il. Mais ce n'est pas fini. On redescend !

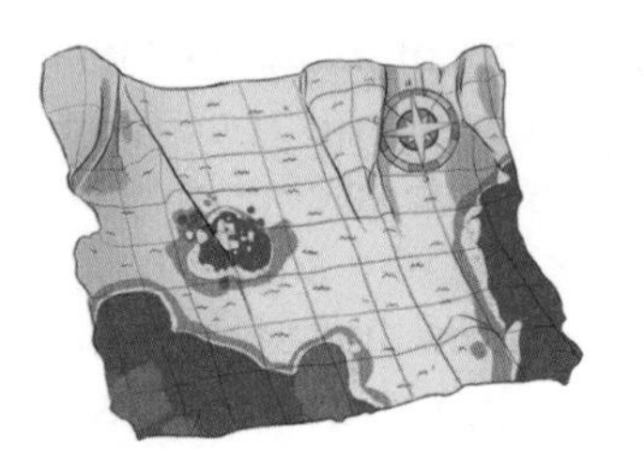

CHAPITRE 21

Le trésor, enfin !

Claude et Mick se retrouvent de nouveau auprès de l'épave. Ils achèvent de ficeler la corde autour du sac, et s'assurent que rien ne le retient à la barque. Puis ils enroulent l'autre extrémité de la corde autour de leurs poignets et remontent à l'air libre. Soufflant et crachant, ils se hissent sur le radeau.

— C'est fini ? demande Annie.

Sa cousine ne répond qu'en secouant la tête de droite à gauche. Elle grelotte, mais n'a qu'une hâte : extraire le trésor de sa cachette et le tirer jusqu'à la surface. Mick s'approche du bord du radeau et attrape la corde qui se tend immédiatement. Claude l'imite. Le radeau s'incline et

Annie a juste le temps de se jeter sur la pile de vêtements qui, déjà, glisse vers l'eau.

— Ça vient ! crie le jeune garçon en donnant une secousse brutale.

Mais il ne peut en dire davantage, car son pied glisse sur le bois mouillé et plouf ! il pique une tête dans le lac. Il remonte à bord en crachant.

— Il faut tirer moins fort, halète-t-il. Mais le sac a bougé, je l'ai senti.

Claude approuve d'un signe de tête. Elle aussi tremble de froid, mais ses yeux brillent d'excitation. Annie pose un imperméable sur ses épaules et un autre sur celles de son frère, mais ni l'un ni l'autre ne s'en aperçoivent.

— Allez, calez-vous bien, et tirez ! conseille François. Doucement ! Doucement !

Au fond du lac, on voit une masse bouger et s'élever lentement. Mais, déséquilibré par le poids du sac, le radeau penche de plus en plus, et les enfants reculent jusqu'à l'autre bord, craignant de le voir chavirer. Dagobert, très excité par ce jeu nouveau, se met à aboyer bruyamment.

— Tais-toi ! ordonne sa maîtresse. Ce n'est vraiment pas le moment de réveiller Martine et Mick-qui-pique sous leur tente !

Annie n'a d'yeux que pour la corde qui, lourdement tendue, émerge progressivement audessus de l'eau noire.

— Ça vient, répète-t-elle. Ça vient. J'aperçois quelque chose de noir. Oh ! C'est gros ! Ça monte ! Encore un effort !

Il est toutefois impossible de hisser le sac à bord sans faire chavirer le radeau. L'eau le couvre déjà à moitié et, à chaque instant, les petites vagues causées par le remous viennent tremper ses occupants.

— Je ne vois qu'un moyen, conclut François. Regagnons la terre ferme en traînant le sac derrière nous. On attendra d'être dans le souterrain pour ouvrir le colis...

Claude et Mick se sèchent et s'habillent avec difficulté. Ils veulent aller vite, mais il faut faire attention au moindre geste qui pourrait détruire le fragile équilibre de leur embarcation. C'est un grand soulagement quand tout le monde se retrouve en place, pagaies ou avirons en main.

Dix minutes plus tard, à force de ramer, personne ne grelotte plus et chacun se sent à la fois satisfait et impatient d'arriver au terme de la course pour découvrir le contenu du mystérieux bagage. Dagobert partage l'excitation générale. Debout au milieu du radeau, il ne quitte pas des yeux le lourd bagage qui apparaît et disparaît au gré des remous créés par le passage de la barque. Il faut longtemps pour atteindre l'entrée du chenal, bien plus longtemps qu'ils n'en ont mis en sens contraire, mais personne ne songe à s'en plaindre. Toutes les pensées des quatre navigateurs sont tendues vers le moment où il sera enfin possible de découvrir le trésor de Hortillon.

Les enfants attachent le radeau à l'endroit exact où ils l'ont laissé la veille afin que Martine et son complice ne sachent rien de leur expédition nocturne. Mick et François mettent pied à terre et tirent sur la corde. Ils hissent le sac hors de l'eau, informe et ruisselant. Les deux garçons le soulèvent chacun par un bout, le portent jusqu'aux ruines, en suivant les lignes d'ombre des arbres aussi soigneusement qu'à l'aller. Les filles suivent, Claude tenant Dagobert par le collier. Celui-ci a bien compris que le silence est de rigueur cette nuit-là, et il lui emboîte le pas sans un bruit. Quand ils sont arrivés à la cuisine, François laisse tomber le colis.

— Allez vérifier que Martine et son complice ne nous attendent pas dans la cave !

Annie suit Claude en direction de l'escalier, tandis que les garçons, devant l'entrée, scrutent le paysage baigné de lune. Pas une feuille ne bouge. Pas un son ne se fait entendre.

— Il n'y a personne ! lance la voix de leur cousine du fond du souterrain. De toute façon, s'il y avait eu la moindre trace de leur passage, Dago nous l'aurait indiqué en grognant !

— C'est juste, reconnaît Mick. Bon, eh bien, on arrive... avec le butin !

Les deux garçons, traînant derrière eux le lourd colis dégoulinant d'eau, descendent l'escalier avec une lente gravité, tandis que le chien retourne fidèlement monter la garde à l'entrée de la cuisine.

Enfin le sac est déposé au centre de la cave, éclairé par la lumière vacillante des bougies. Les doigts de François s'accrochent à la corde mouillée sans parvenir à défaire les nœuds. Claude se sent incapable de supporter cette attente.

— Prends mes ciseaux, ça ira plus vite ! conseille-t-elle. Coupe les nœuds ! Je vais devenir folle.

Son cousin cisaille le sac imperméable.

— Tiens ! s'étonne-t-il. Il y a encore un sac à l'intérieur ! Non ! ce n'est pas un sac, c'est un tissu soigneusement cousu...

— Découpe-le aussi ! crie Claude. Ou je déchire tout !

François s'exécute et ouvre le colis. Mais cela n'en finit pas. Le mystérieux butin semble avoir été enveloppé dans des mètres et des mètres de tissu. Le travail a d'ailleurs été bien fait : pas une goutte d'eau n'a traversé ce soigneux emballage. Enfin, au milieu du tas de plis qui couvrent la table, des quantités de petites boîtes apparaissent, toutes recouvertes de cuir : des écrins à bijoux ! Annie saisit un coffret et l'ouvre. Un cri d'admiration s'échappe de toutes les bouches. Sur le fond de velours noir de l'écrin, un magnifique collier de diamants scintille de toutes ses facettes, à la lueur dansante des bougies. Les enfants en sont éblouis.

— Je n'ai jamais rien vu d'aussi beau ! s'exclame Annie. Vous croyez que ça vaut cher ?

— Plusieurs millions, estime gravement sa cousine. On comprend pourquoi Hortillon s'est donné tant de mal pour cacher son butin et pourquoi Martine et Tagard étaient si pressés de remettre la main dessus.

— Regardons ce qu'il y a dans les autres boîtes ! s'excite Mick, frémissant de curiosité.

Chaque coffret contient un merveilleux bijou : bracelets de saphir, bagues d'émeraude ou de rubis, pendants d'oreilles en perle. Le dernier écrin renferme un étrange et merveilleux collier d'opale. Ce détail paraît rappeler quelque chose à Claude.

— Un collier d'opale... Ah ! J'ai lu cela quelque part. Vous ne vous rappelez pas ? C'était dans les journaux. Oh ! C'est vieux, il y a un an peut-être. Tous les bijoux d'une princesse hindoue... comment s'appelait-elle donc ?

— Fallonia ! lâche soudain Annie. La princesse Fallonia, je m'en souviens ! Il y en avait pour une fortune... et j'ai vu une photographie du collier d'opale dans un magazine ! Heureusement qu'on a empêché Martine et le fils Tagard de mettre la main sur cette fortune !

— Oui, mais maintenant, c'est nous qui en sommes responsables ! Il ne faudrait pas qu'on soit accusés d'être les complices de Hortillon !

Mais les autres ne l'écoutent pas. Ils contemplent les bijoux, les faisant scintiller à la lueur des bougies.

— Vous vous rendez compte que ces merveilles ont séjourné sous l'eau pendant des mois ?

Mais l'aîné des Cinq l'interrompt.

— Parlons sérieusement, insiste-il en s'asseyant. On doit être de retour dans nos internats demain après-midi.

— Tu veux dire aujourd'hui ! précise Annie. Il est trois heures et demie du matin : c'est déjà lundi !

— Ce qui signifie qu'il ne nous reste même pas douze heures pour regagner l'école ! ajoute Mick. Il faut encore qu'on sorte d'ici sans se faire remarquer et qu'on remette ces bijoux à la police.

— Tu es sûr ? ! s'écrie Claude. Tu ne te souviens pas de l'horrible gendarme de l'autre jour ?

— Ne t'en fais pas, la rassure François. Il est trop désagréable et puis il serait furieux d'être obligé de reconnaître qu'il s'est trompé. Non ! J'aimerais mieux téléphoner à M. Gaston. Il a été tellement gentil pour nous... et il connaît tout le pays. Il saura bien nous indiquer une gendarmerie plus importante.

— Mais comment faire pour emporter toutes ces boîtes ? demande son frère.

— On n'a pas besoin de les emporter, déclare Annie. Elles sont très encombrantes. On pourrait simplement envelopper les bijoux dans nos vêtements et les tasser au fond de nos sacs. La police pourra venir chercher les boîtes plus tard, si elle en a besoin.

Les bijoux sont sortis de leurs écrins et divisés en quatre lots. Chaque lot enveloppé dans un mouchoir ou une chaussette et calé au fond des sacs parmi les affaires de toilette. Quand ils ont fini, les enfants décident d'aller se coucher :

— Je tombe de sommeil, explique Mick. Je vote pour quelques heures de repos, pendant lesquelles Dag veillera sur notre immense fortune !

CHAPITRE 22

La fin d'une belle aventure

Les enfants s'éveillent en entendant aboyer Dagobert. François escalade vivement l'escalier et découvre avec surprise qu'il fait déjà grand jour. Soudain, il aperçoit la longue et maigre silhouette de Martine. Elle s'est arrêtée à l'entrée de la maison, intimidée par les crocs menaçants du chien.

— Pourquoi gardez-vous une bête aussi sauvage ? demande-t-elle. Rappelez-le. Je viens seulement vous demander si vous voulez emporter quelques provisions. La route est longue d'ici au prochain village.

— C'est vraiment trop gentil à vous, réplique François avec un sourire moqueur.

Cette offre trahit bien le désir de Martine d'être délivrée de la présence des enfants ! Mais François ne veut rien accepter de cette femme ni de Mick-qui-pique.

— On n'a besoin de rien, répond le jeune garçon. On déjeunera à Pontcret, ce sera notre dernier repas de vacances. Vous savez qu'on doit être au collège à deux heures.

Martine paraît soulagée. Sans doute a-t-elle craint de voir les enfants modifier leur programme et retarder leur départ. Un sourire éclaire sa face, découvrant sa mâchoire édentée.

— Dans ce cas, vous ferez bien de vous dépêcher, conseille-t-elle. Il va pleuvoir...

François tourne les talons pour cacher son sourire. Il n'y a pas un nuage dans le ciel et rien n'annonce la pluie. Mais Martine aurait dit n'importe quoi pour hâter le départ des intrus ! « Pour une fois, songe François, on est du même avis. Je suis aussi pressé de prendre la route qu'elle l'est de nous voir décamper ! »

Dix minutes plus tard, les enfants sont prêts à partir. Chacun porte son sac sur le dos, son imperméable roulé dessus, et, tout au fond, une fortune en bijoux et pierres précieuses !

— Et notre aventure se termine par une agréable promenade dans la lande, fait remarquer Annie tandis qu'ils s'éloignent. J'ai envie

de chanter tellement je suis heureuse de voir tout s'achever si bien. La seule chose qui m'ennuie, c'est de penser que personne au collège ne voudra nous croire quand Claude et moi raconterons ce qui nous est arrivé !

— Ça, c'est sûr, affirme François. Tiens ! Qu'est-ce qu'il y a Dago ? Regardez-le !

Le chien qui, jusque-là, gambadait joyeusement autour des enfants, s'arrête soudain, museau dressé, oreilles pointées. Puis il lance un grognement de colère, suivi aussitôt d'aboiements rageurs.

— Le fils Tagard ! s'écrie Mick d'une voix étranglée par l'effroi. Il a l'air furieux !

— Et Martine le suit, remarque sa cousine, s'efforçant de cacher le trouble que lui cause cette apparition. Qu'est-ce qu'ils ont ? Ils regrettent notre présence, maintenant qu'on est partis ?

— Ils cherchent à nous rattraper ! s'exclame François. Regardez ! Ils prennent à travers la lande pour arriver plus vite. Ils veulent nous couper la route !

— Sauvons-nous ! murmure Annie.

— Si on s'éloigne du sentier, on tombera dans les marécages, rappelle Mick. D'ailleurs, c'est ce qui risque de leur arriver, à eux, à moins qu'ils ne connaissent parfaitement le terrain.

Les deux complices approchent rapidement.

Tout, dans leur allure, dénonce la panique et la colère qui les agitent. Martine hurle d'incompréhensibles paroles qui ne peuvent être que des menaces et des injures. Mick Tagard, rouge et plus hirsute que jamais, brandit le poing en direction des enfants.

— On dirait bien qu'ils sont devenus fous, souffle Annie d'une voix blanche.

— À mon avis, répond Claude, ils sont descendus dans notre souterrain, au lieu de partir sur le lac, comme on le pensait ! Ils ont trouvé la toile imperméable et tous les écrins qu'on a laissés dedans ! Ils savent que le butin de Hortillon leur échappe et ils viennent le rechercher !

— Tu as raison ! affirme François. On aurait dû enfermer le tissu et les écrins dans la petite cave de derrière et emporter la clef... Si on a des ennuis maintenant, ce sera bien notre faute ! On leur vole leur fortune et ils le savent ! Rien d'étonnant à ce qu'ils soient en rage !

— Que penses-tu qu'ils peuvent faire ? questionne Mick. Dagobert va se jeter sur eux s'ils approchent, mais ils sont tellement furieux que, cette fois, ils ne reculeront pas ! Regarde-les ! Ils ont vraiment l'air d'avoir perdu la tête !

— Oui, acquiesce son frère, frappé, lui aussi, par les gestes désordonnés et le comportement insolite de leurs poursuivants.

Dagobert ne cesse d'aboyer, et si Claude ne l'avait pas retenu, il aurait déjà sauté à la gorge de l'homme.

— Sauvons-nous ! s'écrie soudain Annie, voyant les bandits s'approcher dangereusement. Mais surtout que personne ne quitte le chemin ! Oh ! Regardez Martine !

Tout le monde tourne le regard vers la femme : les pieds pris dans la terre gluante, elle n'avance plus. Ses efforts pour se dégager s'entrecoupent d'appels déchirants lancés en direction de Mick Tagard, mais celui-ci se refuse à les entendre. Obstiné, il poursuit son avance à force de bonds énormes. L'espace qui le sépare des enfants se réduit dangereusement.

— Fuyons ! répète Annie et, cette fois, tous obéissent.

Les sacs lourds tressautent sur leur dos, les bretelles scient leurs épaules ; ils savent qu'ils n'iront pas loin. Annie déjà souffle bruyamment.

Soudain, un cri déchire l'air, plus terrible que les autres. Un cri de douleur qui immobilise les fuyards. Ils se retournent. Le fils Tagard gît au sol. Un de ses bonds furieux s'est achevé en chute, et maintenant, il serre dans ses mains sa cheville, peut-être tordue ou brisée. La douleur lui arrache des hurlements effrayants et, en même temps, il appelle Martine à l'aide. Mais celle-ci, enlisée jusqu'à mi-jambe, est bien incapable de le secourir.

Annie ne peut plus détacher son regard de l'homme dont, malgré la distance, elle perçoit le visage, si rouge tout à l'heure et désormais complètement blanc.

— Est-ce qu'il faut l'aider ? demande-t-elle.

— Certainement pas, répond immédiatement Mick. Qui nous dit que ce n'est pas une feinte pour nous attirer ? De toute façon, il ne restera pas là longtemps : on enverra la police le secourir.

Le jeune garçon jette un dernier regard sur le terrain qui retient au loin leurs deux ennemis, puis la petite bande reprend sa route, soulagée, mais encore sous le coup de l'émotion. Le plus déçu est certainement Dagobert. Il aurait bien voulu mordre cet homme qu'il déteste !

Il leur faut près de deux heures pour atteindre Pontcret et leur premier soin en y arrivant est d'entrer au bureau de poste. Le vieil employé les reçoit avec le sourire.

— Alors ce week-end ? leur demande-t-il. Vous avez trouvé les Deux-Chênes ?

François laisse les autres répondre à ses questions et lui rendre ses couvertures, pendant qu'il cherche le numéro de téléphone de M. Gaston.

Dès qu'il l'a trouvé, il compose le numéro. La voix de l'éleveur de chevaux retentit bientôt à l'autre bout du fil.

— Allô, oui, c'est moi. Qui ? Ah ! oui ! Bien sûr que je ne vous ai pas oubliés. Vous avez encore des problèmes avec votre chien ?

François commence à s'expliquer quand son correspondant l'interrompt brusquement.

— Comment ! Les bijoux de la princesse Fallonia dans l'étang ? Et vous les avez trouvés ? Ils sont dans vos sacs à dos ? Vous voulez rire ?

M. Gaston n'en croit pas ses oreilles.

— Bien ! bien, dit-il enfin. Je préviens le commissaire Moris, je le connais bien. Où êtes-vous ? À Pontcret ? Restez-y, je viens vous chercher en voiture, je serai là dans une demi-heure.

Quand François raconte la conversation téléphonique à ses compagnons, un sentiment de délivrance s'empare de la bande.

— Ouf ! s'écrie Claude. Même mon sac me paraît moins lourd !

— Et moi, ajoute Mick, je sens surtout que mon estomac est bien vide. Vous ne pensez pas qu'on a gagné un petit repas ? Il est presque onze heures !

— On a juste le temps avant que M. Gaston arrive ! approuve Annie. Venez vite !

Ils s'installent dans un café en face de la poste,

et commandent des plats tenant à la fois du grand et du petit déjeuner. À la fin de leur repas, le ronflement d'un moteur attire leur attention. Une grosse voiture s'arrête et M. Gaston en descend. Les enfants courent à sa rencontre. François lui présente Annie et Mick, et l'homme serre les mains de tous, y compris la patte de Dagobert !

— Montez vite, dit l'éleveur de chevaux. Moris vous attend.

Le trajet dure longtemps jusqu'à la ville la plus proche, mais pas assez pour permettre au pauvre M. Gaston de comprendre l'extraordinaire aventure que ses quatre passagers s'efforcent de lui raconter. À peine la voiture arrêtée devant le commissariat, ses six occupants sont conduits dans le bureau du commissaire.

— Où sont ces bijoux ? demande-t-il aussitôt après les avoir accueillis.

D'un œil amusé, il regarde les quatre enfants. Leurs vêtements boueux et leur mine fatiguée le font quelque peu douter de la fortune qu'ils prétendent posséder. Mais son visage change d'expression, à mesure que les jeunes aventuriers déballent leurs affaires de toilette et laissent paraître des bagues et des colliers rutilants. Déposé sur la table, l'amoncellement des pierreries brille de tout son éclat, et le policier ne peut retenir un sifflement admiratif.

— Ce sont bien les bijoux de la princesse Fallonia ! se réjouit-il enfin. Nous les recherchons depuis des mois ! Nous avons perquisitionné dans je ne sais combien d'endroits sans mettre la main dessus. C'est inouï Racontez-moi maintenant, jeunes gens, comment vous avez découvert tout cela ?

Claude se charge de narrer leurs aventures. Quand elle en arrive au dernier épisode, la fin de la poursuite à travers le marécage, l'inspecteur l'interrompt.

— Mais ils doivent être encore sur les lieux ! s'exclame-t-il. Attendez une minute !

Il appuie sur un bouton situé sous son bureau, et un policier apparaît.

— Dites à Jacques de prendre trois hommes et une voiture, ordonne-t-il. Qu'il aille dans le marais des Eaux-Dormantes. Il y trouvera deux individus immobilisés, deux vieilles fripouilles qu'il connaît bien : Martine Beriac et Michel Tagard – qu'il les interpelle l'un et l'autre et les ramène ici. Et dites-lui de faire vite !

Le policier disparaît aussitôt et Claude achève son récit. Quand elle a fini, l'inspecteur Moris serre la main de chacun des enfants.

— Bravo, jeunes gens ! Je vous félicite pour votre conduite. Vous avez su vous montrer entreprenants, courageux et honnêtes !

Dagobert est le seul que ce compliment ne fait pas rougir. Puis François prend la parole :

— Je pense que vous n'avez plus besoin de nous. On doit regagner nos internats respectifs avant quatorze heures. Il faut qu'on se dépêche si on veut être là à temps.

— Bien sûr. Ne vous inquiétez pas, répond le commissaire en riant. Je mets une voiture à votre disposition. Deux, si vous voulez ! Inutile de vous presser. Profitez-en pour faire un brin de toilette... Nous avons tout ce qu'il faut ici. Suivez-moi.

Une demi-heure plus tard, les quatre enfants réapparaissent débarbouillés, nets et peignés. On pourrait presque croire qu'ils ont passé leurs quatre jours de congé dans un palace et non dans le souterrain crasseux d'une maison en ruine !

— Les voitures sont devant la porte, leur dit le commissaire. Je vous y accompagne. Mais auparavant laissez-moi vous apprendre les dernières nouvelles : primo, un spécialiste a examiné les bijoux et reconnu qu'ils étaient bien ceux de la princesse Fallonia. Secundo, je viens de recevoir un coup de fil m'apprenant que Martine et Mick Tagard ont été retrouvés à l'endroit où vous les avez laissés. En ce moment même, ils doivent être en route pour le commissariat. Allez, je vous laisse filer. À la prochaine !

Les garçons montent dans le premier véhicule de police après avoir embrassé Claude et Annie. Dagobert grimpe auprès de sa maîtresse.

— Bon retour ! leur crie le policier. Et si vous racontez votre histoire à vos camarades, ne soyez pas étonnés s'ils refusent de vous croire !

Les voitures démarrent dans un nuage de poussière.

— À bientôt ! ajoute M. Gaston. Et bonne chance au Club des Cinq !

FIN

Tu as aimé cette histoire ?
Retrouve toutes les aventures du **CLUB DES CINQ** en Bibliothèque Verte !

Tome 1

Tome 2

Tome 3

Tome 4

Tome 5

Tome 6

Tome 7

Tome 8

Tome 9

Tome 10

Table

PAPIER À BASE DE
FIBRES CERTIFIÉES

hachette s'engage pour l'environnement en réduisant l'empreinte carbone de ses livres.
Celle de cet exemplaire est de :
400g éq. CO_2
Rendez-vous sur
www.hachette-durable.fr

Photogravure Nord Compo - Villeneuve-d'Ascq
Imprimé en Roumanie par Rotolito Romania
Dépôt légal : mars 2019
Achevé d'imprimer : janvier 2022
72.2772.0/15 – ISBN 978-2-01-707219-5
Loi n° 49956 du 16 juillet 1949
sur les publications destinées à la jeunesse